세상을 움직인 작가들이 선택한 책들,
그리고 개성 넘치는 서재의 세계

위대한 작가들이 책을 읽고 관리하는 법

베스트셀러 작가들의
서재를 공개합니다

리아 프라이스 지음

장진영 옮김

유엑스 리뷰

차 례

들/어/가/며 1

들/어/가/며

십 대 시절, 나는 베이비시터로 일했다. 아이를 봐주러 남의 집을 방문할 때면 난 곧장 책을 찾았다. 한껏 멋을 낸 부모들이 집을 나가면, 먹이를 찾는 맹수처럼 읽을 책을 찾아 온 집안을 어슬렁거렸다. 성인용 잡지를 찾으려고 침대 옆 탁자를 기웃거렸고 요리책을 찾기 위해 부엌을 어슬렁거렸으며 변기 수조 덮개 위에 놓인 잡지를 확인했다. 그리고 마지막으로 거실 책장을 둘러봤다. 이 모든 일이 끝나고 나서야 나는 냉장고로 향했다. "그대가 무엇을 어떻게 먹는지 말하라, 그러면 나는 그대가 누군지를 말해보겠다."라고 단언한 프랑스의 전설적인 미식가로 꼽히는 브리야−사바랭(Brillat-Savarin)이라면 남의 냉장고를 뒤지는 나를 칭찬했을 것이다. 그는 이 유명한 문장으로 《미각의 생리학(Physiology of Taste)》(1826)을 시작했다.

　나는 책도 마찬가지라고 생각한다. 사람이 먹는 것을 보면 그 사람이 어떤 사람이지 알 수 있듯이, 읽고 있는 책 또는 소장하고 있는 책을 보면 그 사람에 대해 알 수 있다. 나는 대학생일 때 기숙사에서 지냈다. 기숙사에 누가 오는 날이면 나는 보란 듯이 사르트르의 책을 담요 위에 펼쳐 놨다. 우리는 평생 읽지도 않는 책은 남들 보라고 책장에 꽂아놓고 손때가 새까맣게 묻은 책은 죽을 때까지 꼭꼭 숨긴다. 미국의 여류시인 플래스(Sylvia Plath)의 시집 옆에 플레이보이 잡지를 두는 집은 거의 없다. 플레이보이 잡지는 남들이 모르는 은밀한 장소에 숨겨지긴 마련이다. 그러나 주노 디아스는 "난 책을 숨겨두는 것이 싫다. 무작위로 '숨겨진 책'을 꺼내 그 숨겨진 책의 내용에 대해서 당신과 대화할 사람은 아무도 없다."라고 말했다.

　책장을 내보이는 것은 스스로를 내보이는 것이다. 버즈 스펙터(Buzz Spector)는 1994년 《나의 서재를 공개하며(Unpacking My Library)》에서 예술가의 서재를 공개했다. 예술가가 소장한 책 전부를 보관하기에 충분한 크기의 방에 크기에 따라 가지런히 책이 꽂힌 책장이 있다. 2008년 대선이 끝나자마자, 한 뉴욕 서점은 버락 오바마(Barack Obama)가 회고록, 연설 그리고 인터뷰에서 언급했던 50여 권의 책을 진열했다. 그가 쓴 책과 그에 관한 책을 진열한 서점보다 이 뉴욕 서점이 당선인이었던 버락 오바마에 대해 더 많은 것을 알려준다는 평을 받았다.

　집에 책을 놓을 선반 하나 없는 사람은 수수께끼처럼 그 속을 쉽사리 알 수 없다. 그러니 책이 한 권도 없는 집에 사는 사람은 어떠랴. 어떤 책을 읽고 소장하는지를 보여주는 것은 벌거숭이처럼 자신 모든 것을 적나라하게 보여주는 것과 같다. 1924년 메리 여왕이 선물로 받은 인형의 집에는 《인명사전(Who's Who)》, 《휘터커 연감(Whitaker's Almanac)》과 열차시간표, 그리고 1월 1일자 타임스 축소판이 있었다고 한다. 타임스는 메리 여왕의 어린 시종들에게도 선물하기 위해서 이 축소판을 수천 부 발행했다. 하지만 어린 시종들의 어머니들은 깨알 같은 글씨 때문에 아이들의 시력이 떨어질까 걱정했다. 그래서 그들의 우려를 해소하기 위해서, 타임스는 실제로 발행되는 신문의 글자 크기의 두 배로 1월 1일자 신문 축소판을 제작했다.

　　이 인형의 집에는 작은 변기도 설치되어 있었다. 그리고 심지어 이 작은 변기는 물도 내릴 수 있었다. 인형의 집에 있는 서재도 실제 서재나 다름없었다. 서재에 꽂힌 초소형 책들은 펼쳐지고 책장도 넘겨졌으며 심지어 책에 적힌 글자도 읽을 수도 있었다. 크기는 아주 작지만 진짜 책이나 다름없었다. 이와 반대로 크기는 실제 책과 다를 바 없지만, 읽을 수 없는 책들도 많다. 가상 라이브러리인 구글북스는 책의 앞표지만 나와 있다. 구글북스를 사용하는 사람이라면 누구나 다 알 것이다. 그러나 그들이 모르는 것이 하나 있다. 구글의 캠브리지 사무실에는 한쪽 벽면을 차지하고 있는 커다란 책장이 하나있다. 이 사무실에는 12장의 납작한 합판이 가느다란 종이를 보관하기 좋게 세로로 벽에 단단하게 고정되어 있다. 합판에 놓여있는 종이에는 책의 제목이 적혀있다. 이것들은 한때 책등이었다. 스캔 하려고 책을 분해하고 남은 조각들인 것이다. 박제사의 전리품처럼, 벽을 가득 채운 책등이 스캔을 위해 얼마나 많은 책들이 분해되고 폐기되었는지를 보여준다. 《더미를 위한(For Dummies)》 시리즈의 뜯겨진 노란색 책등 더미가 구글의 캠브리지 사무실의 한쪽 벽면을 멋지게 장식한다. 사실 모형 책등은 오래전부터 서재를 꾸미는 장

식품으로 사용됐다.

　　1830년대 초반에 토마스 후드(Thomas Hood)는 데본샤이어(Devonshire) 공작의 채츠워스 별장의 서재에 사용할 모형 책등을 디자인했다. 당시에는 '공명정대'와 '나무 에세이'와 같은 제목이 적힌 모형 책등을 실내장식으로 많이 사용했다. 토마스 후드는 이 재미없는 제목 사이에 '베이컨 경의 피그말리온'과 같은 제목의 책등을 장난삼아 집어넣었다. 그로부터 수십 년 뒤, 찰스 디킨스(Charles Dickens)도 모형 책등으로 자신의 서재를 장식했다. 찰스 디킨스는 '짧은 챈서리 슈트의 역사'(21권)와 '고양이의 목숨'(9권)과 같은 제목의 책등을 만들었다.

　　21세기 용어인 '커피 테이블용 책'은 전신인 '가구 책'에 함축된 경멸의 의미를 그대로 이어받은 것이다. 1859년에 쓰인 어떤 글은 글보다 책의 바인딩을 더 중요하게 생각하는 애서가를 '정인의 타고난 매력보다 그녀의 보석에 더 관심이 있는 사람'에 비유했다. 이런 비난을 더 먼저 한 사람이 있다. 인쇄술이 등장하기 1,500년 전, 로마의 철학자 세네카는 '장식용 손잡이와 형형색색의 꼬리표가 달린 두루마리를 읽기보다 보기 좋게 전시하는 사람들을 비난하면서 이렇게 말했다. "비싼 목재로 제작된 책장을 구입하는 사람을 어떻게 용서할 수 있을까? …… 가장 큰 서재를 만날 수 있는 곳은 바로 가장 게으른 자의 집이다."

물론 세네카의 말을 이렇게 해석하는 것은 너무 자의적인 것일지도 모른다. 실제로 우리가 지금 책장이라고 부르는 것들은 활판 인쇄술이 발명된 후에 등장했다. 몇 세기 전만 해도 사람들은 지금처럼 책장에 책을 책등이 보이도록 세로로 세워 꽂아서 보관하지 않았다. 당시 사람들은 책의 제목이 보이게 책을 가로로 눕혀서 아무렇게 쌓아두거나, 대관람차 위 자동차처럼 '책 바퀴' 위에 책을 여러 권 쌓아두고 바퀴를 돌려서 원하는 책을 골라 읽었다. 지금처럼 책등이 보이도록 책을 세로로 세워서 보관하지 않았기 때문에, 책등에 제목이 적혀있는 경우가 드물었다. 엔지니어인 헨리 페트로스키(Henry Pet-roski)의 말을 빌리면, "수평 선반에 수직으로 놓인 책은 자연의 법칙에 어긋난 것"이었다. 그러나 지금 우리는 책을 세로로 세워서 보관한다. 이렇게 책을 세로로 세워서 보관하기 위해서, 이에 적합한 형태의 책장이 대량생산되기 시작했다. 예를 들어, 이케아는 2,800만 개의 빌리 북케이스를 생산하고 있다. 이 덕분에 수직으로 책을 꽂아두는 책장은 어디서나 볼 수 있는 흔한 가구가 되었다.

책은 자기 자리를 안다. 어떤 책은 책장에, 다른 어떤 책은 침대 밑에 있다. 1747년 체스터필드(Chesterfield) 백작은 아들에게 다음과 같은 글을 썼다.

나는 시간 관리에 아주 능숙한 신사를 한 명 알고 있단다. 그는 단 일분일초도 허투루 쓰지 않지. 대소변이 마려워서 화장실에 가야 하는 순간도 예외는 아니란다. 화장실에서 볼일을 보면서 그는 라틴어로 쓰인 시를 천천히 전부 읽어. 예를 들어, 로마 시인 호라티우스(Horace)의 시집을 한 권 사서 페이지 두어 장을 찢어서 화장실로 가져가는 거지. 일단 볼일을 보면서 그 페이지를 읽고 화장실을 나오기 전에 그 페이지를 화장실의 여신 크로아치나(Cloacina)에게 제물로 받친다고 한다. 이렇게 책을 읽으면 꽤 많은 시간을 절약할 수 있어. 난 네가 그를 본받았으면 좋겠어. 화장실에서 그냥 볼일만 보는 것보다 더 유익하잖니. 이런 식으로 읽은 책은 너의 마음에 아주 생생히 남을 거야.

책을 어디서 읽느냐는 중요하지 않다. 화장실, 침실 또는 욕실에서도 책을 읽을 수 있다. 그리고 해변에서도 독서는 가능하다. 그런데 책장에서 멀리 떨어진 곳에서 읽은 책일수록 그 내용이 기억에 더 또렷이 박힌다.

책을 꽂아두는 '책장'을 주제로 쓰인 책은 깊이가 없다. 1749년에 체스터필드 경은 "책의 내용에 대한 적당한 관심과 책의 겉면에 대한 적당한 무관심이 상식을 지닌 사람이 자신이 소장하고 있는 도서를 대하는 적절한 자세"라고 말했다. 그로부터 한 세기 뒤에 복음주의 잡지는 '책을 머릿속에 집어넣는' 착한 아이와 '책을 오직 책장에 꽂아두는' 게으른 아이를 대조했다. 우리는 책을 읽지 않고 소유하고, 소유하지 않고 읽을 수 있다. 책장은 한 사람의 가장 은밀한 개인적인 자아와 가장 대중적인 모습을 동시에 폭로한다. 책장은 실용적인 도구이거나 연극 소도구로서의 역할을 할 수 있다. 나의 책장에는 책 귀퉁이가 접힌 채로 꽂혀있는 책들이 있다. 이런 책을 쓴 소설가의 책장을 보고 있으면, 마치 주방장의 냉장고를 슬쩍 들여다볼 기회를 얻은 운 좋은 레스토랑 손님이 된 것만 같다. 반면 모형 책등으로 가득한 데본셔이어 공작의 서재는 속이 텅 빈 테이크아웃 음식 용기로 어질러진 바이킹의 화덕에 가깝다.

　　수세기 동안 화가들은 자화상을 그릴 때 사람들에게 책을 들고 포즈를 취하도록 했다. 요즘 교통사고 현장과 병원 응급실 등 사건·사고 현장을 맴돌며 피해자들을 자극해 소송을 부추기는 앰뷸런스 체이서의 지하철 광고에는 가죽으로 제본된 법률잡지를 배경으로 서있는 변호사가 등장한다. 뉴욕의 스트랜드 북스토어는 무대 디자이너와 실내 장식가에게 책을 야드 단위로 판매한다. 그런데 이렇게 책을 일종의 장식품으로 사용하면 문제가 생긴다. 집에 온 손님이 책장에서 책을 한 권 꺼냈는데 그 책이 이상하리만치 깨끗하면 집주인과 손님이 서로 민망할 수 있다. 아일랜드 유머 작가인 플란 오브라이언(Flann O'Brien)은 여기서 아이디어를 얻어 1940년대에 '북 핸들링 서비스'를 제안했다. 북 핸들링 서비스는 가죽으로 제본된 책을

좋아하지만 그 책을 읽을 시간이나 능력이 없는 사람들을 위한 서비스다. 플란 오브라이언은 이렇게 소개했다. "북 핸들링 서비스는 대신 소장할 책을 선택해준다. 이 서비스를 신청한 사람들은 이미 손때가 묻은 책을 받아보게 될 것이다. 전문 핸들러가 아래와 같이 다양한 등급의 북 핸들링 서비스를 무료로 제공한다."

　　일반 등급 – 각 권을 완전히 만져준다. 네 번째 페이지마다 모서리를 접어준다. 까맣게 잊고 있었던 책갈피로 트램 티켓, 지하철 보관함 영수증이나 기타 물건을 사용해서 각 권에 꽂아준다.

　　프리미엄 등급 – 각 권을 철두철미하게 만져준다. 여덟 번째 페이지마다 모서리를 접어준다. 알맞은 단락에 빨간색 연필로 밑줄을 그어준다. 이렇게 밑줄을 친 단락이 있는 책은 25권 이하로 제한한다. 까맣게 잊고 있었던 책갈피로 빅토르 휴고(Victor Hugo)의 작품에 관한 프랑스어로 적힌 전단지를 사용해서 각 권에 꽂아준다.

　　디럭스 등급 – 각권을 무자비하고 난폭하게 만져준다. 작은 책들의 책등은 마치 주머니에 넣어서 들고 다녔다는 느낌을 줄 수 있게 손상시킨다. 모든 책의 한 단락을 빨간 색연필로 밑줄을 긋고 여백에 느낌표나 물음표를 적어준다. 오래된 게이트 극장의 프로그램표가 까맣게 잊고 있었던 책갈피로 사용된다(오래된 애비 극장의 프로그램표도 있다). 30권 정도에 커피, 차, 흑맥주나 위스키 얼룩을 남겨주고 5권 미만에 작가의 위조 사인을 남겨준다.

대서양의 건너편에선 토마스 마손(Thomas Masson)이 1차 세계대전 시대에 만들어진 신조어인 '카무플라주(camouflage, 위장)'에서 영감을 얻어 1923년에 '북플라주(bookflage)'라는 신조어를 만들어냈다. 에밀리 포스트(Emily Post)는 이런 추세를 못 마땅하게 생각했다. 그녀는 1930년에 써낸 실내장식 매뉴얼에서 '절대 펼쳐보지 않을 책으로 방을 가득 채우는 것'을 '가면과 가발을 쓰는 것'에 비유했다. 이렇게 책을 한낱 장식품으로 사용하는 행태에 비난이 쏟아지던 때, 미국 소설가 조나단 레덤(Jonathan Lethem)은 실로 신선한 주장을 했다. 그는 "가끔 사람들은 읽지 않은 책을 소장하는 것이 위선이나 가식이라고 여긴다. 하지만 아직 읽지 않은 책은 자신의 모든 것을 바치지 않은 존재라 할 수 있다. 이 존재는 달콤한 미스터리와 뭔가 새로운 것을 잉태할 가능성을 품고 있다."라고 반박했다. 분명 책을 아직 읽지 않았다고 해서 당신이 영원히 그 책을 읽지 않을 것이라고 그 누구도 장담할 수 없다.

지하실에 녹슨 채로 보관되어 있는 자전거마냥, 뽀얗게 먼지가 쌓인 책은 그 책의 소유자가 선한 사람이고 선한 의도를 가지고 있다는 증거일 수 있다. 과거 한 조사에 따르면 미국 가정의 92%가 성경책을 가지고 있다. 실제로 한 가구가 평균 3권의 성경책을 보유하고 있었지만, 구약성서의 내용을 말할 수 있는 응답자는 절반이 안 됐다. 그렇다고 이 차이를 문화 쇠퇴의 징후로 받아들여서는 안 된다. 이미 2세기 전, 한 잡지에 이런 상황을 꼬집은 재미있는 이야기가 실렸다.

최근 한 성경협회의 관계자 몇몇이 성경책을 가지고 있는지 확인하기 위해서 한 여성의 집을 방문했다. 그러나 그들에게 돌아온 것은 호된 꾸지람이었다. "이 양반들아, 당신들은 내가 이교도라고 생각하나? 그렇지 않고서 어떻게 그런 질문을 나에게 할 수 있나?" 그리고 나서 그녀는 어린 소녀에게 "내 방에 있는 서랍에서 성경을 가지고 와라. 그 성경책을 이 사람들에게 보여줘야겠으니."라고 말했다. 협회 관계자들은 그 여자에게 귀찮게 성경책을 가지고 올 필요는 없다고 말했지만, 그녀는 자신이 이교도가 아니란 사실을 증명해보이겠다고 고집을 부렸다. 잠시 후 어린 소녀가 지시에 따라 성경책을 가져왔다. 성경책은 정성스럽게 천으로 싸여있었다. 천을 벗기면서 여자가 소리쳤다. "어머나 내 안경이 여기 있었네. 지난 3년 동안 아무리 찾아도 못 찾았는데, 여기 있을 줄은 꿈에도 몰랐어."
흔히 안경은 독서를 위한 도구로 여겨지지만, 이 경우처럼 책이 안경을 보관할 도구로도 사용될 수도 있다.

레베카 골드슈타인은 "꽃병과 촛대를 책과 함께 보관하던 때가 있었다. 하지만 나는 이것이 전혀 마음에 들지 않았다. 철학자들이 부르는 '범주 오인'을 저지른 것 같았다."라고 회고했다. "칸트는 말했다. 인간은 목적을 위한 수단으로 사용될 수 없다. 그 자체로 목적으로 간주되어야 한다. 이 말은 그의 유명한 정언명령을 표현하는 방식의 하나다. 이것은 책에 대한 나의 태도를 개략적으로 설명해준다. 나는 결코 책을 컵받침으로 사용하거나 다른 무언가를 떠받칠 지지대로 사용하지 않는다. 나는 목적을 달성하기 위해 인간을 수단으로 사용하지 않는다. 책도 마찬가지다. 전화번호부는 예외일 수도 있겠다. 하지만 작가들이 혼신을 다해 창조해낸 책은 절대 무언가의 수단이나 도구로 사용되어서는 안 된다."라고 레베카 골드슈타인은 덧붙였다.

과연 북플라주가 디지털 시대를 견뎌낼까? 아마존이 킨들을 출시하자 뉴욕타임스에는 사람들의 문학 취향이 지하로 숨어들어 파악하기 어려워질 것이라는 기사가 실렸다. 그 기사에는 '더 이상 사람들은 낯선 이의 주머니에서 삐져나온 책에 궁금함을 느끼고 그 낯선 사람과 대화를 시작하지 않을 것이고, 작가의 이름을 이성을 꼬시기 위한 작업 멘트로 사용하지도 않을 것'이라고 적혀있었다. 그리고 이 기사에는 한 라디오 진행자가 과거를 회상하면서 했던 멘트가 인용되어 있었다. "십 대 시절, 현대미술 박물관에서 상영하는 영화를 보려고 줄을 서서 기다리고 있었는데, 옆에 어떤 사람이 내가 정말 좋

아했던 책을 들고 있었다. 나는 그 사람과 정말 친한 친구가 되거나 사랑에 빠지는 상상을 했다." 이제는 노트북으로 스트리밍 서비스를 통해 실시간으로 영화를 볼 수 있는 시대다. 또 페이스북 덕분에 친구들의 가상의 책장을 스캔할 수 있다. 이렇게 친구의 독서취향을 파악하고 책에 대해 이야기할 수 있다. 하지만 뉴욕타임스는 이를 인정하지 않는다. 이뿐인가? 마케터들은 온라인 독자의 일거수일투족을 추적하기 위해 자신들의 툴킷을 계속 업그레이드한다. 링크 클릭의 수가 온라인 광고의 가치를 결정하기 때문이다. 코보(Kobo, 캐나다에서 설립된 세계적 전자책 플랫폼)의 전자책 단말기는 사용자가 읽은 책과 페이지의 수, 심지어 분당 읽은 페이지의 수와 사용자가 책을 주로 읽는 시간대까지 추적한다.

이 기사가 뉴욕타임스에 실린 달에 패션잡지 베니티 페어에는 "킨들, 아이팟과 플래시 드라이브가 그 사람이 고매한 취향과 지성을 지니고 있음을 보여주는 사인을 집어삼켜버렸다. 그러니 문화인인 척 하는 사람들을 동정"하라는 글이 실렸다. 하지만 우리는 걱정할 필요가 없다. 옛날에는 자신의 취향을 과시하기 위해 집에 마호가니 가구를 놓았고 이를 통해 집주인의 취향이나 됨됨이를 짐작할수 있었다. 이제는 셸퍼리와 라이브러리띵과 같은 소셜네트워킹 사이트들이 과거의 마호가니 가구와 같은 역할을 한다. 애리조나에서 자레드 라프너(Jared Loughner)가 무작위로 총기를 난사했을 때, 수

사관들은 그의 정신 상태를 파악할 실마리를 얻기 위해 그의 마이스페이스(MySpace) 블로그와 유튜브 계정을 샅샅이 뒤졌다. 나는 그의 피해망상의 원인으로 그의 독서목록을 꼽는 것은 부당하다고 생각한다. 십 대 청소년들은 세상에 대해 불만을 가지기 마련이다. 자레드 라프너처럼 다른 청소년들도 가득한 다른 많은 십 대 청소년들도《동물농장(Animal Farm)》,《멋진 신세계(Brave New World)》,《나의 투쟁(Mein Kampf)》그리고《공산당 선언(Communist Manifesto)》을 읽거나 적어도 자신들의 글에 인용한다(그리고 이 세상에 불만이 없는 십 대 청소년이 어디 있나?). 나는 자레드 라프너가 투손 북 페스티벌에서 자원봉사 하는 모습이 찍힌 사진과 마이스페이스에는 '독서'가 취미로 기록되어 있었다는 사실에 더 주목해야 한다고 생각한다.

디지털 시대에는 독자의 반응을 파악하기가 훨씬 쉽다. 사람들은 자신의 친구나 직장동료의 책의 여백에 코멘트를 단다. 우리는 책의 앞뒤에 있는 빈 종이에 직접 독서카드를 작성하던 르네상스 시대로 되돌아갔다. 19세기 공공 도서관이 등장한 이래로 이런 행동들은 책을 풍요롭게 만들기보다 더럽히고 훼손시키는 행위로 간주되었다. 하지만 사람들의 인식이 다시 바뀌었다. 요즘은 딜리셔스(Delicious)와 디아이고(Diigo)와와 같은 '소셜 북마킹(social book-marking, 사용자들이 웹서핑 중에 북마크할 가치가 있다고 생각되는

사이트 또는 포스트, 웹페이지를 발견하면 웹 브라우저의 즐겨찾기에 추가하는 것)' 툴 덕분에 독자들이 다시 책에 꼬리표를 붙이고 독서카드를 작성하고 중요하거나 마음에 드는 구절에 표시를 할 수 있게 되었다. 이런 흔적들은 미래의 독자들에게도 공유된다(그리고 앞선 독자의 질문에 미래의 독자가 답할 수도 있다). 최근에 한 저널리스트는 킨들에는 이전 독자들의 흔적, 얼룩, 접힌 자국, 끄적임 그리고 페이지 사이에 끼워져 있는 깜빡 잊은 보물들이 없다며 비난했다. 한때 우리는 닳고 해진 책을 보며 자신보다 앞서 그 책을 읽은 많은 이들의 흔적을 느꼈다. 이제 디지털 히트맵이 이런 정보를 전달한다. 예를 들어 당신이 킨들에서 한 구절에 주석을 달면, 킨들은 그 책을 읽었던 사람들 중에서 얼마나 많은 사람들이 같은 구절에 밑줄을 그었는지 팝업창을 띄워서 알려준다.

이제 우리는 수많은 사람들과 함께 책을 읽는다. 다시 말해 혼자 외롭게 책을 읽는 시대는 끝났다는 것이다. 디지털 기기 덕분에 책을 통해 작가뿐만 아니라 다른 독자들과도 대화하며 생각을 공유한다. 어쩌면 지금으로부터 6개월 뒤, 지금 읽고 있는 이 책이 페이스북 사이트로 대체될지도 모른다. 그럼에도 친구들과 모르는 사람들이 무엇을 읽는지 또는 다른 사람들이 내가 읽는 책에 대해서 무엇이라 이야기할지에 대한 우리의 호기심은 영영 변하지 않을 것 같다.

엘리슨 벅델

_ Alison Bechdel

엘리슨 벡델의
서재

리아 프라이스: 이 프로젝트를 진행하면서 많은 책장을 봤습니다. 그 중에서 엘리슨, 당신의 책장이 가장 체계적으로 정돈되어 있습니다. 강박증이 느껴질 정도입니다. 큰 책과 작은 책이, 폐간된 도서와 학술 도서가 책장에 서로 나란히 꽂혀있네요. 기준 없이 책들이 마구잡이로 꽂혀 있지도 않습니다. 한 칸에는 '레즈비언'을 주제로 한 책이, 다른 칸에는 '기타' 주제의 책이 효율적으로 분류되어 꽂혀있습니다. 혹시 다른 물건들도 이런 식으로 정리하시나요? 예를 들어 향신료 병에 색깔 표시를 해둔다거나 양말을 알파벳순으로 보관한다던지 말입니다.

엘리슨 벡델: 제가 쓴 책이 아무렇게나 분류돼서 책장에 꽂히는 게 항상 불만이었습니다. 그래서 책을 아주 엄격하게 분류하고 정리하고 있습니다. 융통성이 없을 정도죠. 제가 쓴《주목해야 할 레즈들(My Dykes to Watch Out For)》은 만화책이지만, 유머 섹션이나 그래픽 노블 섹션이 아닌 LGBT 섹션에 꽂힙니다. 심지어 자서전인《재미난 집(Fun Home)》은 아무렇게나 분류되죠. 한번은 제 회고록이 대형 서점의 그래픽 노블 섹션에 꽂혀있지 않아서 실망했었는데, '신간 전기' 섹션에서 책을 발견했던 적이 있습니다. 솔직히 제 책이 그래픽 노블이 아닌 그냥 평범한 책으로 취급돼서 기뻤습니다.

　　최근에 어린 친구의 집을 방문했던 적이 있습니다. 그 친구의 책장에는 장르에 상관없이 소설, 비소설, 그리고 그래픽 노블이 모두 꽂혀있었습니다. 작가의 이름을 기준으로 알파벳순으로 정리되어 있었죠. 이것이 아주 진화된 정리방식으로 느껴졌습니다. 저의 서재를 생각하니 무안해지더군요. 저는 만화책과 그래픽 노블을 만화 섹션이나 그래픽노블 섹션에 '격리'시켜 뒀거든요. 하지만 그렇다고 제 나름의 분류방식을 버릴 생각은 없습니다.

저의 서재는 소설이 꽂혀있는 거실 책장에서 시작됩니다. 책장은 층계참만큼 높고, 책장은 소설 섹션에 이어 회고록, 자서전, 비소설 그리고 문집 섹션으로 이어집니다. 그리고 미술이론, 문화비평, 영화비평, 문학비평, 언어학, 정신분석학, 신화, 철학, 그리고 종교 섹션이 이어지죠. 저는 책장에 꽂힌 책들을 특정 규칙에 따라 레고처럼 연결하곤 했습니다. 저는 언어와 그림이 어떻게 상호작용을 하는지와 스토리와 아이디어가 어떻게 서로에게 영향을 주는지에 관심이 많습니다. 서로 연결된 주제의 책들이 저의 이러한 관심사와 사고 체계를 보여주는 것 같아요. 프랑스의 비평가이자 사상가인 바르트(Roland Barthes)의 《이미지, 음악, 글(Image, Music, Text)》은 이 모든 것을 지탱하는 핵심입니다. 생각이 진화하는 대로 조정하고 바꿀 수 있는 스키마가 책을 정리하고 분류하는 데 아주 유용했습니다.

거실 책장은 시사와 정치, 페미니즘 섹션으로 마무리됩니다. 위층에는 퀴어 이론과 LGBT 연구에 관한 책들이 있습니다. 그 양이 방대하죠. 최근 몇 년 동안 역사, 이론, 예술, 섹스, 레즈비언,

게이, 그리고 트랜스젠더에 관한 책들이 마구 뒤섞여, 위층 서재는 감당할 수 없을 정도로 엉망이 되었습니다. 원하는 책을 찾을 수 없을 정도였죠. 그러다 이 난장판을 정리할 기가 막힌 아이디어가 떠올랐습니다. 바로 출판 일자를 기준으로 책을 정리하는 것이었습니다. 이렇게 책을 정리한 덕분에 이제는 필요한 책을 금방 찾을 수 있습니다. 이 뿐만 아니라 출판일순으로 꽂힌 책등을 보면, 1973년에 출간된 질 존스턴(Jill Johnston)의 《레즈비언 국가(Lesbian Nation)》부터 2009년에 출간된 《게이들이 결혼할 때(When Gay People Get Married)》에 이르기까지 지난 30년 동안 동성애에 관한 시대정신의 변천사를 대략적으로 파악할 수 있습니다. 여기서 무슨 말이 더 필요하겠습니까?

덕분에 정교하게 정리된 책장을 가지게 되었죠. 이 책장 덕분에 독서뿐만 아니라 글쓰기도 수월해지는 것 같습니다.

그런데 책에 표시를 하시나요? 한다면 어떻게 하나요? 연필, 접착식 메모지, 형광펜, 책갈피 같은 것을 사용하나요? 표시를 많이 하는 편인가요? 밑줄을 긋거나 메모를 하지 않은 책이 있나요?

솔직히 식사를 하면서 편안하게 책을 읽으려고 그 유명한 아틀라스 에르고노믹 독서대(Atlas Ergonomic Book Stand)를 구입했습니다.

나이프와 포크를 사용하면서 동시에 책을 펼치려고 아등바등하는 게 짜증스러웠거든요.

책에 표시를 아주 많이 하는 편입니다. 책에 포스트잇을 덕지덕지 붙이고 적어도 3가지 색깔의 하이라이터로 밑줄을 긋고 여기저기에 물음표와 느낌표를 적어놓지 않으면, 책 한 권을 온전히 읽고 썼다는 느낌이 안 들거든요. 물론 책을 다른 사람에게 빌려주기도 합니다. 하지만 빌려줄 책을 아주 조심스럽게 고르죠. 책 여백에 적힌 저의 생각들 중에는 남에게 보여주기에 아주 위험한 것들이 태반이거든요.

저는 책을 잃어버리는 것을 아주 싫어합니다. 그래서 누구에게 무슨 책을 빌려줬는지 기록합니다. 대학 4학년 때 기호 논리학 전공 서적을 친구에게 빌려줬습니다. 책을 돌려받지 못한 채 그 친구와 연락이 끊겼고, 20년 동안 저는 거의 매일 그 책을 그리워했습니다. 당시 그 책이 저의 모호하고 완벽하지 않은 사상의 많은 부분을 명확하게 해줄 것이라 확신했었거든요. 그런데 몇 년 전 우연히 그 친구와 마주쳤어요! 그 책에 대해서 물어본다는 것이 좀 무례하게 느껴졌지만, 어쨌든 그녀에게 제가 빌려준 책에 대해서 물어봤죠. 다행히 그녀는 그 책을 보관하고 있었고 돌려주기로 했습니다. 책을 돌려받고 엄청난 마음의 평화를 얻을 수 있었습니다. 물론 책을 돌려받은 이후 단 한 번도 그 책을 펼쳐보지는 않았지만 말입니다.

컬렉션은 몇 년도까지 거슬러 올라가나요? 언제 처음으로 책을 소장하겠다고 마음먹었나요? 몇 살부터 책을 사기 시작했나요? 이사를 하면서 가지고 온 책은 무엇이고 버린 책은 무엇인가요? 어떤 시기에 읽은 책과 소장한 책이 가장 중요한가요? 독서를 관뒀던 시기가 있나요?

매드 매거진이란 잡지는 '선 오브 매드(Son of Mad)', '셀프-메이드 매드(Self-Made Mad)', '하울링 매드(Howling Mad)' 그리고 '더 인디제스터블 매드(The Indigestible Mad)' 모음집을 광고했습니다. 8살인가 9살 때, 만화 모음집을 우편 주문하기 시작했습니다. 애석하게도 여기저기 이사를 다니는 동안 만화 모음집을 전부 잃어버렸습니다. 그다음으로 제가 직접 구입한 책은 17살 여름에 중고서점에서 산 스키트의 어원사전 1898년 판이었습니다. 예전부터 사전을 몹시 좋아했습니다. 대학생 시절, 옥스퍼드 영어사전 소형판을 단돈 50센트에 살 수 있다는 꾐에 넘어가 퀄리티 페이퍼백 북클럽에 가입했었죠. 자동주문을 취소하는 방법을 몰라서 매달 원하지도 않는 책을 받아보며 추가로 수백 달러의 돈을 내야 했지만 말입니다. 그러나 제가 산 영어사전은 수백 달러 이상의 값어치를 했습니다.

20대 때 종이책은 15년 정도가 지나면 뒤틀리면서 망가진다는 기사를 읽었습니다. 그 기사 때문에 마음이 정말 심란해졌습니다. 당시 저는 하드커버를 살 여유가 없었거든요. 물론 지금도 마찬가

지이지만요. 그리고 슬프게도 그 기사는 옳았습니다. 제가 소장하고 있는 오래된 종이책이 망가지고 있습니다. 완전히 망가진《오만과 편견(Pride and Prejudice)》과《안나카레니나(Anna Karenina)》를 버려야만 했습니다. 지금 생각해보니 쓰레기통 말고 퇴비 더미에 버릴 걸 그랬습니다. 만약 그랬다면 저에게 영감을 주는 채소를 수확할 수 있었을 텐데 말이죠.

'인생 도서'로 선정한 책들에 대해 이야기를 해볼까요? 무슨 책이 가장 중요한가요? 집에서 멀리 있을 때 어떤 책들이 가장 그리운가요?

에이드리언 리치(Adrienne Rich), 지그문트 프로이트(Sigmund Freud), 수잔 손택(Susan Sontag) 그리고 롤랑드 바르트(Roland Barthes)를 꼽았죠. 이 사람들은 젊은 저에게 지대한 영향을 줬습니다. 그리고 페미니스트로서, 자서전 작가로서, 그리고 비주얼 스토리텔러로서 저의 사고방식에 막대한 영향을 미쳤습니다.

아버지에게서《로제의 유의어 사전(Roget's Thesaurus)》을 받았을 때, 제 눈앞에 무한한 우주가 펼쳐졌습니다. 저는 이 사전 없이 단 한 자도 쓸 수 없습니다. 실제로 유의어 사전을 참조하는 것은 제가 일에 몰입하기 시작했다는 징후입니다. 이 사전은 단지 유의어를 찾는 데만 활용할 수 있는 것이 아닙니다. 생각을 정리하고 새

로운 아이디어로 이어질 단어의 힌트가 될 단어를 찾는 데도 도움이 되거든요.

《등대로(To the Lighthouse)》에 대해서는 뭐라 이야기하기가 어렵네요. 이 소설을 읽을 때마다, 이전에는 이해하지 못했던 것들이 새로운 의미로 다가오거든요. 마치 제가 서서히 이 소설 자체가 되거나 이 소설과 함께 성장하는 느낌입니다. 이 소설은 인생을 함께 살아가는 친구나 연인 같은 존재예요.

《현 없는 하프(The Unstrung Harp)》는 2년 마다 소설을 발표하는 작가에 관한 삽화가 삽입된 이야기책입니다. 제가 좋아하는 삽화 중 하나는 이어브라스 씨가 한밤중에 머릿속을 맴도는 시구를 찾으려고 자신의 서재를 뒤집어엎는 그림입니다. "그의 마음의 눈은 최소한 5년 전에 읽은 (아마도) 올리브로 제본된 책에서 오른쪽 페이지의 밑에서 세 번째 줄에 인용된 시구를 보고 있다."

사실 저는 여기 초록색 표지의 《소금의 값(The Price of Salt)》을 소장하고 있지는 않습니다. 제가 가지고 있는 것은 80년대에 재판된 따분한 표정의 페미니스트가 그려진 것입니다. 하지만 희귀 서적을 수집할 능력이 된다면, 이 책이 소장하고픈 책 목록 1위입니다.

패트리샤 하이스미스(Patricia Highsmith)가 1952년에 발표한 레즈비언 로맨스소설입니다. 그녀의 처녀작인 《열차 안의 낯선 자들(Strangers on a Train)》은 동성애 코드가 숨겨져 있는 스릴러입니다. 이 소설은 1951년에 알프레드 히치콕(Alfred Hitchcock)에 의해 영화로 만들어졌습니다. 패트리샤 하이스미스는 자신이 레즈비언 작가로 대충 분류되는 것을 원치 않았습니다. 그래서 그녀는 가명으로 이 레즈비언 로맨스를 발표했습니다. 이 싸구려 통속소설과 같은 표지를 하고 종이책으로 출판되기 전까지 이 소설은 큰 인기를 얻지 못했습니다.

《소금의 값(The Price of Salt)》은 가슴 저미는 소설입니다. 단순히 해피엔딩을 맞이하는 첫 동성애 로맨스물이 아닙니다. 전 이 소설을 통해 동성애자들에게 적대적이었던 세상에서 살아남을 수 없었던 작가의 완전한 모습을 아주 잠깐 볼 수 있었습니다. 그녀는 이 소설을 마지막으로 더 이상 로맨스를 쓰지 않고 《열차 안의 낯선 자들(Strangers on a Train)》과 그녀의 유명한 《리플리(Ripley)》 시리즈와 같은 소름끼치는 스릴러만 평생 썼습니다. 그리고 보니 제가 인생 도서로 꼽은 책들의 공통된 테마가 억눌린 동성애인 것 같네요.

《영원한 너의 친구, 레이첼로부터(Always, Rachel)》는 레이첼 카슨(Rachel Carson)과 그녀의 절친한 친구인 도로시 프리만(Dorothy Freeman)이 주고받은 편지를 묶은 책입니다. 책은 두 사람의 첫 만남에서 시작됩니다. 두 사람은 미친 사랑에 빠졌습니다. 슬프게도 도로시 프리만은 기혼이었고, 레이첼 카슨은 자신이 동성애자임을 알고 있었고 그 사실을 받아들였지만 다른 누군가를 만나 사랑을 나

누기에는 너무 바빴습니다. 《달마행자들(The Dharma Bums)》의 가장 큰 매력은 작가 잭 케루악(Jack Kerouac)이 소설 속 인물인 재피 라이더(Japhy Ryder)에게 느끼고 있는 입 밖으로 내지 못하는 좌절된 사랑입니다. 재피 라이더는 게리 스나이더(Gary Snyder)라는 실존인물을 모델로 한 것입니다. 그들의 사랑이 세상에 알려지거나 그들이 감정에 따라 행동했다면, 불교의 깨달음을 얻기 위한 그들의 여정이 지금 만큼 설득력 있고 매력적이지 않았을 겁니다.

물건을 모아두는 편인가요? 아니면 필요 없는 것은 그때그때 버리는 편인가요? 카세트테이프, LP판, CD 등 다른 매체도 소장하고 계신가요? 아니면 필요할 때 다운로드받고 삭제하나요? 보관하기 싫은 책은 어떻게 처리하시나요? 기부하거나 재활용하거나 필요한 사람이 가져가도록 길에 내놓나요? 다 읽은 책을 버린다거나 해져서 너덜너덜해진 책을 대신할 새 책을 살 때 당신만의 금기 사항이 있나요?

물건을 잘 버리지 않습니다. 80년대 가지고 있던 대부분의 LP판과 턴테이블을 팔고 엄청 후회했죠. 지금은 되도록 뭐가 되었든 끝까지 가지고 있으려고 합니다. 문제는 보관하고 있는 물건들이 너무 많아져서 감당이 안 된다는 겁니다. 그리고 한물간 매체에 보관된 기록물에는 접속할 수가 없어서 너무 답답합니다. 예를 들면, 초기 AOL

이메일 같은 것들 말입니다. 열정 있는 기록 보관인이 로제타 스톤 애플리케이션과 같은 것을 개발해서 한물간 매체에 보관된 기록들을 해독할 수 있는 날이 빨리 오기를 매일 기도하고 있습니다.

지금으로부터 5년, 10년 그리고 20년 뒤 서재가 어떤 모습일지 생각해보셨어요? 종이와 풀로 만들어진 물건 그러니까 종이책을 계속 보관하고 있을까요? 끔찍한 질문을 해서 죄송해요. 그런데, 사후에 당신의 서재에 어떤 일이 벌어질지 생각해보셨나요?

곧 죽는 게 아니라면, 종이책으로 가득한 저의 초라한 서재가 먼저 분해되어 없어질 것 같아 걱정입니다. 물론 그렇게 될 가능성이 큽니다.

엘리슨 백델이 선정한 11권의 인생 도서

마사 프리드만 편집, 《영원한 너의 친구, 레이첼로부터(Always, Rachel: The Letters of Rachel Carson and Dorothy Freeman, 1952-1964; The Story of a Remarkable Friendship)》

잭 케루악, 《달마행자들(The Dharma Bums)》

에이드리언 리치, 《거짓말, 비밀 그리고 침묵에 관하여(On Lies, Secrets, and Silence: Selected Prose 1966-1978)》

수잔 손택, 《사진에 관하여(On Photography)》

클레어 모간, 《소금의 값(The Price of Salt)》

지그문트 프로이트, 《일상의 정신병리학(Psychopathology of Everyday Life)》

《로제의 유의어 사전(Roget's Thesaurus of Words and Phrases)》

롤랑드 바르트, 《롤랑드 바르트(Roland Barthes)》

에르제, 《티벳에 간 땡땡(Tintin in Tibet)》

버지니아 울프, 《등대로(To the Lighthouse)》

에드워드 고리, 《현 없는 하프(The Unstrung Harp; or Mr. Earbrass Writes a Novel)》

Always,

Rachel

The Letters of Rachel Carson and Dorothy Freeman
1952-1964: The Story of a Remarkable Friendship
Edited by Martha Freeman
Introduction by Paul Brooks

JACK KEROUAC
THE DHARMA BUMS

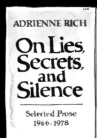

ADRIENNE RICH

On Lies,
Secrets,
and
Silence

Selected Prose
1966-1978

HERGÉ

ON PHOTOGRAPHY

SUSAN SONTAG

THE NOVEL OF A LOVE SOCIETY FORBIDS

THE PRICE OF SALT

CLAIRE MORGAN

SIGMUND FREUD

Psychopathology Of Everyday Life

ROGET'S
THESAURUS
OF WORDS
AND PHRASES

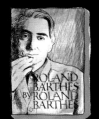

ROLAND
BARTHES
BY ROLAND
BARTHE

HERGÉ

THE ADVENTURES OF TINTIN

Tintin
in Tibet

The
Unstrung
Harp;

or, Mr Earbrass Writes a Novel.   By Edward Gorey.

BLEAK HOUSE CHARLES DICKENS

INTERNATIONAL COLLECTORS LIBRARY

D 213

The Charles Dickens Companion | Hardwick

Pilgrim at Tinker Creek · Annie Dillard

EMMA DONOGHUE

Slammerkin

Harcourt

HOOD EMMA DONOGHUE

HarperCollins

HOOD emma donoghue

alyson books

EMMA DONOGHUE

Landing

Harcourt

WE ARE MICHAEL FIELD

EMMA DONOGHUE

ABSOLUTE PRESS

STIR-FRY EMMA DONOGHUE

DOSTOYEVSKY

THE BROTHERS KARAMAZOV

G 36

REBECCA | DAPHNE DU MAURIER

Penperial

Emily Eden

The Semi-Attached Couple & The Semi-Detached House

DAVE EGGERS

A HEARTBREAKING WORK of STAGGERING GENIUS

VINTAGE

GEORGE ELIOT

THE MILL ON THE FLOSS

043128 9

스티븐 카터

_ Stephen Carter

스티븐 카터의
서재

리아 프라이스: 컬렉션은 몇 년도까지 거슬러 올라가나요? 언제 처음으로 책을 소장하겠다고 마음먹었나요? 몇 살부터 책을 사기 시작했나요? 이사를 하면서 가지고 온 책은 무엇이고 버린 책은 무엇인가요?

스티븐 카터: 처음에는 만화책을 샀습니다. 책을 수집하겠다는 마음을 먹고 산 첫 번째 책은 톰 스위프트(Tom Swift)의 책이었습니다. 초등학교에 다닐 때였으니 아마 60년대 초반 또는 중반이었을 겁니다. 이때 샀던 책 대부분은 지금 상자에 담겨서 어딘가에 보관돼 있을겁니다. 대학생일 때 팔았던 과학 전공 서적과 수학 전공 서적을 제외하고, 고등학교, 대학교 또는 로스쿨을 다닐 때 샀던 책을 아직도 거의 전부 가지고 있습니다. 책과 이별한다는 것이 정말 힘들더라고요. 타고나기를 이렇게 타고난 것 같습니다. 예일 사무실에는 책 더미가 가득합니다. 집 지하실도 마찬가죠. 오래된 종이책이 담긴 상자 여러 개가 집 차고에서 썩어가고 있어요.

5학년 땐가 6학년 때, 아버지의 서재에서 프리드리히 니체(Friedrich Nietzsche)의 《인간과 초인(Man and Superman)》을 봤습니다. 그 책이 당연히 모험을 떠난 영웅에 대한 만화책일 것이라 생각했습니다. 제 예상은 보기 좋게 빗나갔죠. 그리고 책 내용을 전혀 이해할 수도 없었습니다. 그때 언젠가 이렇게 어려운 책을 척척 이해하는 사람이 되겠다고 결심했습니다.

이제 인생 도서로 선정한 책들에 대해서 이야기를 나눠보죠.

비스카운트 브라이스(Viscount Bryce)의《근대민주정(Modern Democracies)》(1921년 발행 초판, 2권). 우리는 습관적으로 알렉시 드 토크빌(Alexis de Tocqueville)을 미국의 민주주의를 논한 위대한 유럽인이라고 생각합니다. 하지만 전 비스카운트 브라이스가 훨씬 더 날카로운 시각으로 미국의 민주주의를 바라봤다고 생각합니다.

C. S. 루이스(C. S. Lewis)의《스크루테이프의편지(The Screwtape Letters)》. 한 해 걸러 이 서간체 소설을 다시 읽고 있습니다. 그리고 이 책을 읽을 때마다 도덕성이나 집필이나 신념에 대해서 새로운 깨달음을 얻습니다.

랜슬롯 호그벤(Lancelot Hogben)의《백만 명을 위한 수학(Mathematics for the Million)》(1920년 개정판). 아버지의 서재에서 읽었던 책 중 마음에 들었던 책입니다. 수학의 대중화를 위해서 수학을 지나치게 단순화시킨 책들이 쏟아지던 시대가 있었습니다. 이런 시대 이전에 출간된 이 책은 꽤 복잡하고 수준 높은 수학을 다룹니다. 그래서 이 책은 느긋하게 읽을 만한 책이 아닙니다. 고민하면서 천천히 이해할 수 있습니다. 많은 사람들이 이 책을 이해하기 위해서 힘

겨운 시간을 보냈을 겁니다. 그래서 뭐 어쨌다는 겁니까? 요즘 나온 책들은 현대인의 짧은 집중력을 걱정해서인지 하나부터 열까지 너무 자세하게 설명해서 학습 의욕을 떨어뜨립니다. 우웩!

칼 샌드버그(Carl Sandburg)의《에이브러햄 링컨: 전쟁의 시대(Abraham Lincoln: The War Years)》(1939년 발행, 4권). 아버지 덕분에 좋아하게 된 또 다른 책입니다. 저는 아버지가 소장하던 칼 샌드버그의 책을 훑어보곤 했습니다.

《성서(The Holy Bible)》. 저의 책장에는 다소 해진 킹 제임스(King James)이 쓴 성서가 꽂혀있습니다. 예일 사무실에는 훨씬 오래된 성서가 보관되어 있습니다. 결코 성서 수집가가 아닙니다. 전 성서를 읽는 사람입니다!

칼 만하임(Karl Mannheim)의《이데올로기와 유토피아(Ideology and Utopia)》. 대학생일 때 세미나를 준비하면서 이 책을 읽었습니다. 아직까지 이념에 대한 맹목적인 헌신이 왜 계몽운동과 궁극적으로 자유민주주의를 위태롭게 만드는지를 이 책보다 더 잘 설명해낸 책을 보지 못했습니다.

영국 국교회의 기도서 (1928년 판). 오늘날 영국 성공회는 1928년 판의 기도서를 사용할 수 없습니다. 주교의 특별한 허가가 있다면 예외죠. 현대판은 물에 물탄 듯 술에 술탄 듯해서 신학적인 가르침을 주지 못합니다.

디트리히 본회퍼(Dietrich Bonhoeffer)의 《윤리(Ethics)》. 작가가 나치 수용소에서 사망하면서 이 책은 미완성으로 남았습니다.

버트런드 러셀(Bertrand Russell)의 《무위를 찬양하며(In Praise of Idleness)》와 그 밖의 에세이. 이 책은 바쁜 일상에서 아무것도 하지 않는 시간이 반드시 있어야 한다고 말합니다. 독서, 그림 또는 페이스북 등 아무것도 하지 않는 시간 말입니다. 이렇게 아무것도 하지 않는 시간 동안 우리는 정처 없이 서성이도록 마음을 자유롭게 놓아주어야 합니다. 그렇지 않으면 스스로도 영원히 자기가 무슨 생각을 하는지 이해하지 못할 것입니다.

윌리엄 셰익스피어(William Shakespeare) 전집(옥스퍼드 프레스 출판, 1938년). 아무런 설명이 필요 없는 훌륭한 책이죠.

책을 어떻게 정리하시나요? 아니면 어떻게 정리하려고 하시나요? 책장에서 필요한 책을 정확하게 찾아내는 자신만의 방법이 있나요? (알파벳순, 주제, 크기 아니면 우연에 의지해 찾으시나요?) 다른 소지품들을 정리하는 방식과 유사한 방법으로 책을 정리하나요?

책을 잘 정리하지 않습니다. 링컨의 책은 두세 개의 선반에 걸쳐 꽂혀있습니다. 체스책도 마찬가지입니다. (지하실과 사무실에 체스책이 꽂혀있는 책장이 여러 개 있습니다.) 그냥 적당한 공간에 책을 쑤

셔 넣습니다. 읽고 싶은 책을 금방 못 찾아도 상관없습니다. 전혀 문제가 안 됩니다. 원하는 모든 것을 금방 쉽게 손에 넣을 수 있다면 얼마나 삶이 지루해지겠습니까? 깜짝 놀랄 일도 전혀 없을 것이고 평생 '이 책을 까맣게 잊고 있었어!'라고 말할 기회도 가지지 못할 겁니다.

독서를 할 때 킨들, 아이패드 등 전자 단말기를 사용하십니까? 스마트폰으로 책을 읽으시나요?

킨들과 아이패드는 없습니다. 그 어떤 스마트폰도 책을 읽기에는 충분히 '스마트'하지 않죠.

짤막한 이야기를 하나 하겠습니다.

저는 어린 시절부터 책을 읽었습니다. 또래 아이들에 비해 훨씬 빨리 책을 읽기 시작했다고 저희 어머니께서 말씀하시더군요. 하지만 몇 년 동안 읽었던 책들은 한마디로 쓰레기였습니다. 꼬맹이였을 때는 만화책을 주로 읽었고 십 대 청소년이 되면서 공상과학소설을 읽었습니다. 그러다 이타카 고등학교 10학년 때, 영어를 가르치던 주디스 디키(Judith Dickey) 선생님이 저를 한쪽으로 데리고 가시더니 그런 책을 읽으면서 왜 마음을 낭비하고 있냐고 물으셨습니다. 그녀의 말이 엄청 불쾌했습니다. '도대체 자기가 뭐라고 자신의 취향이 나의 취향보다 더 우월하다고 말하는 거지?'라고 생각했습니다. 영어 선생님은 제게 제안을 했습니다. 제가 그녀가 추천하는 책 3권을 읽는다면, 자신도 제가 추천하는 책 3권을 읽겠다는 것이었습니다.

그녀의 제안을 받아들였죠.

그 이후로 저의 인생이 바뀌었습니다. 그녀가 저에게 추천해준 책 덕분에 이 세상에는 진정 위대한 문학이라 불리는 책들이 많고 무작위로 책을 읽거나 원하는 책만 읽어서는 그 위대한 문학과 절대 만날 수 없다는 사실을 깨닫게 되었습니다.

(이 이야기를 하면, 사람들은 항상 디키 선생님이 어떤 책을 추천했냐고 묻더군요. 족히 40년 전에 있었던 일이라, 책 제목이 전혀 기억나지 않습니다. 그녀가 추천해준 책에 대한 저의 반응은 또렷이 기억나지만, 책 제목은 전혀 생각나지가 않습니다.)

스티븐 카터가 선정한 10권의 인생 도서

칼 샌드버그, 《에이브러햄 링컨: 전쟁의 시대(Abraham Lincoln: The War Years)》 1~4권

《영국 국교회의 기도서(Book of Common Prayer)》

윌리엄 셰익스피어, 전집

디이트리히 본히퍼, 《윤리(Ethics)》

《성서(The Holy Bible)》(킹 제임스 판)

칼 만하임, 《이데올로기와 유토피아(Ideology and Utopia)》

버트런드 러셀, 《무위를 찬양하며(In Praise of Idleness)》

랜슬롯 호그벤, 《백만 명을 위한 수학(Mathematics for the Million: How to Master the Magic of Numbers)》

비스카운트 브라이스, 《근대민주정(Modern Democracies)》 2권

C. S. 루이스, 《스크루테이프의 편지(The Screwtape Letters)》

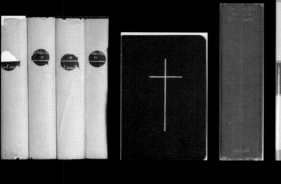

ETHICS

DIETRICH
BONHOEFFER

HOLY BIBLE

KARL MANNHEIM

Ideology
and
Utopia

HARVEST BOOKS

IN
PRAISE
OF
IDLENESS

BERTRAND
RUSSELL

MATHEMATICS
FOR THE
MILLION

HOGBEN

NORTON

MODERN
DEMOCRACIES

IN TWO VOLUMES

By the Right Honorable

VISCOUNT BRYCE

Author of "The American Commonwealth"

THE MACMILLAN COMPANY
PUBLISHERS   NEW YORK

C. S. Lewis

The Screwtape Letters

DICTIONARY of AMERICAN SLANG

Robert L. Chapman, Ph.D. with Barbara Ann Kipfer

RANDOM HOUSE WEBSTER'S

UNABRIDGED DICTIONARY

MLA Handbook

STRUNK AND WHITE · ELEMENTS · STYLE

The Classic edition

Third Edition

ROGET'S THESAURUS

Edited by Robert L. Chapman

Fifth Edition

THE OXFORD ESSENTIAL DESK REFERENCE

THE AMERICAN HERITAGE dictionary

AMERICAN EDITION

The Book of Common Prayer

The Interlinear NIV Hebrew-English Old Testament

ECUMENICAL · OLD · AND · NEW · TESTAMENTS

Kohlenberger

Zondervan

A Reader's Hebrew-English Lexicon of the Old Testament

Armstrong · Busby · Carr

BAKER BOOK HOUSE

THE Torah A Modern Commentary

בראשית
שמות
ויקרא
במדבר
דברים

Edited By W. G. Plaut

THE OXFORD DICTIONARY OF THE CHRISTIAN CHURCH

THIRD EDITION

EDITED BY F. L. CROSS AND E. A. LIVINGSTONE

OXFORD

Church Symbolism

F. R. Webber and Ralph Adams Cram

주노
디아스

_ Junot Diaz

주니 디아스의
서재

리아 프라이스: 《오스카 와오의 짧고 놀라운 삶(The Brief Wondrous Life of Oscar Wao)》을 보면, 독자이자 팬보이가 된다는 것이 무엇을 의미하는지 알 수 있을 것 같습니다. 소설 속 등장인물이 "어린애였을 때 가장 좋아했던 책은 백과사전 《척척박사, 브라운(Encyclopedia Brown)》이었다고 말하는 사람은 절대 신뢰해서는 안 된다는 것을 알았어야 했는데."라고 말하죠. 그렇다면 당신이 어렸을 때 가장 좋아했던 책은 무엇입니까? 그리고 당신의 컬렉션은 몇 년도까지 거슬러 올라가나요?

주노 디아스: 컬렉션 중에는 1975년에 소장하게 된 책들이 있습니다. 하지만 진짜 처음 가지게 된 책은 1965년 이웃에게서 받은 콜리어 백과사전입니다. 근데 6권과 12권이 빠져있었죠. 아쉽게도 처음 이사를 하던 날 전부 잃어버렸습니다.

    돈을 벌기 시작하면서 본격적으로 책을 사기 시작했는데, 아마 12살부터였을 겁니다. 그때 여러 구역을 돌며 신문 배달을 했습니다. 어린 시절, 저희 집은 찢어질 듯이 가난했습니다. 동전을 던져서 책을 살지 아니면 음식을 살지를 결정해야 했던 날도 있었습니다. 에라스무스(Erasmus)처럼 저는 음식보다는 책을 샀습니다. 집 근처 몰에 있는 월든북스에서 《엘릭(Elric)》과 《존 카터(John Carter of Mars)》시리즈를 샀었던 기억이 나네요. 시리즈를 전부 모으는 데 한참이 걸렸습니다. 전 이사를 많이 다녔습니다. 뉴저지로 이사 올 때를 제외하고, 책을 버린 적이 없습니다. 그때 이사 오면서 버린 책을 생각하면 아직도 가슴이 아픕니다. 지난 수년 동안 천천히 버렸던 책들을 하나둘 다시 사들이고 있습니다. 그런데 버렸던 책들 중에서 제목이 영 생각나지 않는 책들도 있어서 아쉽습니다.

책이 없었다면 그토록 힘겨웠던 어린 시절을 견뎌낼 수 없었을 겁니다. 저의 어린 시절은 학대, 결손 가정, 가출한 여자형제와 암에 걸린 남자형제 등 결핍과 고통으로 점철되어 있습니다. 책은 저에게 이런 역경을 견뎌낼 힘이었습니다. 책은 제가 무너지지 않도록 지탱해줬습니다. 여전히 열정적으로 많은 책을 닥치는 대로 읽습니다. 하지만 어린 시절에 책을 읽던 때와는 다릅니다. 당시 독서는 저에게 죽느냐 사느냐의 문제였습니다.

《오스카 와오의 짧고 놀라운 삶(The Brief Wondrous Life of Oscar)》을 쓰느라 암흑과도 같은 힘겨운 시간을 보낼 때도 저는 책을 읽었습니다. 그 암흑의 나날 동안 책은 저에게 어둠을 밝혀주는 등불이었고 등대였습니다.

사진 속 책장에 꽂혀있지 않는 책들에는 어떤 것들이 있나요? 요리책, 전화번호부, 음란물 등 책장이 아닌 다른 장소에 보관해두는 책이 있나요? 부엌, 화장실, 그리고 침대 옆 탁자에는 어떤 책을 보관하나요?

사실 순수 포르노물은 없습니다. 설령 낯 뜨거운 포르노물이라도 전아마 책장에 꽂아뒀을 겁니다. 책을 숨겨두는 것이 싫습니다. 무작위로 '숨겨진 책'을 꺼내 그 '숨겨진 책'의 내용에 대해서 당신과 대화할 사람은 아무도 없으니까요. 그리고 보통 책장에는 롤플레잉 게임 더미가 쌓여있기 때문에 사람들은 책장을 자세히 살펴보지 않습니다. 그런데 어떤 롤플레잉 게임에는 포르노잡지인 허슬러보다 더 민망한 콘텐츠가 담겨 있기도 하죠.

욕실에는 빨리 읽을 수 있는 책을 둡니다. 부엌에는 호러, 영어딜트, 공상과학, 그리고 영국문학 등 다양한 장르의 종이책이 있습니다. 흑인 민족주의 음모론에 관한 책들도 있습니다. 그리고 침대 옆에는 스릴러처럼 흥미진진한 책을 두고 읽습니다.

소장하고 있는 책은 전부 읽으려고 노력합니다. 책을 읽는 속도와 양보다 책을 사는 속도와 양이 더 큽니다. 그래서 서재에 꽂혀있는 책 중에서 읽지 않은 책이 백여 권은 될 겁니다. 서재에 꽂혀있는 책 전부를 읽었던 적도 두어 번 있습니다. 대단하죠? 올해도 가지고 있는 책 전부를 읽을 계획입니다. 하지만 또 책을 너무 많이 사서 책과의 경주가 다시 시작되겠죠.

최근 이사를 하셨죠. 여기 책장에 꽂힌 책은 소장하고 있는 책의 극히 일부분에 지나지 않는다고도 하셨는데요. 이사를 할 때 가져갈 책과 버릴

책을 어떻게 선택하셨나요? 여기 꽂혀있지 않은 책 중에서 가장 그리운 책이 있나요?

제가 좋아하는 작가인 사무엘 R. 딜레이니(Samuel R. Delany), 토니 모리슨(Toni Morrison), 에드워드 리베라(Edward Rivera), 아룬다티 로이(Arundhati Roy) 등이 발표한 책들 중 저의 웰빙에 필요한 20권의 책을 가지고 왔습니다. 여기서부터 다시 시작했죠. 아직도 많은 책들이 보관소에 잠들어 있습니다. 그 책들을 주변에 쌓아두고 읽었던 시절이 그립네요. 아마도 보관소에 있는 책들을 봐야 무슨 책을 가장 그리워했었는지 알 수 있을 것 같습니다. 그 책들과 재회하고 나서 엉엉 울지도 모르겠네요. 좀 이상하지만, 제가 원래 이런 사람입니다.

오디오북을 들은 적이 있나요? 있다면, 언제 그리고 어디서 오디오북을 들었나요? 책을 스스로 소리 내서 읽는 것을 좋아하시나요? 아니면 누군가가 큰 소리로 읽어주는 것이 좋아하시나요?

전처와 함께였을 때, 한 달에 7~8번을 뉴욕과 캠브리지를 오고갔습니다. 이때 자연스럽게 오디오북을 들었습니다. 《베어울프(Beowulf)》와 《길가메시(Gilgamesh)》와 같은 민간 설화, 모험과 스릴러 장르만

들었습니다. 앞으로 펼쳐질 내용을 예측하는 속도가 오디오북의 속도보다 더 빨랐기 때문에, 다른 장르의 오디오북을 들으면 졸려서 운전할 수가 없었습니다.

전처에게 책을 읽어주는 것을 좋아했습니다. 그 사람을 제외하고 다른 사람에게 책을 읽어준 적은 단 한 번도 없습니다. 저에게 책을 읽어 준 사람도 아무도 없습니다.

책을 읽을 시간이나 의지보다 책을 훨씬 더 많이 가지고 있는 것 같습니다. 누군가에게 선물로 받은 책들도 많이 있는 것 같네요. 소중하게 생각하는 사람에게서 책을 받으면, 그 책을 반드시 읽어야 한다는 의무감을 느끼나요? 원하지 않는 책은 어떻게 처리하시나요? 기부를 하거나 재활용하나요? 아니면 길에 내놓고 누가 가져가도록 내버려두나요? 다 읽은 책을 버릴 때 나름의 금기사항이 있나요? 너무 많이 봐서 너덜너덜해진 책은 고쳐서 읽으시나요? 아니면 새로 사나요?

책을 정말 빨리 읽습니다. 그래서 친구가 책을 주면, 그 책을 후딱 읽어버립니다. 이렇게 하는 것이 덜 수고스럽고 고민도 덜 되죠. 받는 즉시 그냥 읽어버리는 거죠. 책을 기부하고 있습니다. 제가 살고 있는 건물에는 도서관이 있습니다. 도서관에 책을 기증하고, 도서관이 원하지 않는 책들은 광장에서 노숙하는 부부에게 줍니다. 그들은

그 책을 팔아서 번 돈으로 생계를 꾸립니다. 뉴저지로 이사 올 때 책을 버린 이후로, 앞으로 절대 책을 버리지 않겠다고 맹세했습니다. 식자판은 버릴 수 있지만, 책만큼은 절대 버릴 수 없습니다. 물론 너무 심하게 훼손되어서 더 이상 읽을 수 없는 책은 버립니다. 하지만 테이프를 붙여서 최대한 오랫동안 읽으려고 노력합니다. 그래서 저에게는 프랑켄슈타인처럼 테이프가 덕지덕지 붙어 보기 흉한 책들이 많이 있습니다.

지금으로부터 5년, 10년 그리고 20년 뒤 서재가 어떤 모습일지 생각해보셨어요? 종이와 풀로 만들어진 물건 그러니까 종이책이 여전히 남아 있을까요? 특히 만화책이 남아있을까요?

책이 암흑시대를 견뎌냈으니, 칠흑 같은 자본의 시대도 견대내지 않을까요? 저에게 책은 친구이자 동반자이고 멘토이자 위험을 알리는 경고입니다. 그리고 책은 저를 웃음 짓게 하고 즐겁게 합니다. 그리고 저는 책에서 용기를 얻고 더 강해집니다. 거의 모든 책은 저에게 토니 모리슨의 《사랑받은 사람(Beloved)》에 나오는 '30마일 여인'과 같습니다. "그녀는 나의 친구다. 그녀는 나를 추스른다. 그녀는 '나'라는 조각들을 한데 모으고 그 조각을 바로 맞춰서 나에게 되돌려 준다." 책은 저에게 그런 존재입니다.

주노 디아스가 선정한 10권의 인생 도서

톰 아따나시오우, 《분단된 지구: 부자와 빈자의 생태학(Divided Planet: The Ecology of Rich and Poor)》

에드워드 리베라, 《가족: 히스패닉계 사람으로 산다는 것(Family Installments: Memories of Growing Up Hispanic)》

토마스 G. 카리스와 가일 M. 게르하르트, 《1882~1990 저항부터 도전까지: 남아프리카의 아프리카 정치의 민주주의 역사(From Protest to Challenge: A Documentary History of African Politics in South Africa, 1882~1990)》 및 《1964~1979 최악의 순간과 부활(Nadir and Resurgence, 1964~1979)》

아룬다티 로이, 《작은 것들의 신(The God of Small Things)》

마그리트 페이트로이츠, 《공포의 사전: 아르헨티나와 고문의 유산(A Lexicon of Terror: Argentina and the Legacies of Torture)》

J. R. R. 톨킨, 《반지의 제왕(The Lord of the Rings)》

길버트 에르난데스와 하이메 에르난데스, 《사랑과 로켓, 12권, 독극물 강(Love and Rockets, no. 12, Poison River)》

사무엘 R. 딜레이니, 《수중에서 빛의 움직임: 동쪽 마을에서 쓰인 섹스와 공상과학소설(The Motion of Light in Water: Sex and Science Fiction Writing in the East Village)》

에릭 그린, 《미국 신화로서의 혹성탈출: 종, 정치 그리고 대중문화(Planet of the Apes as American Myth: Race, Politics, and Popular Culture)》

맥신 홍 킹스턴, 《여전사: 유령들과 함께 보낸 소녀시절의 기억(The Woman Warrior: Memoirs of a Girlhood Among Ghosts)》

TOM ATHANASIOU

DIVIDED PLANET

THE ECOLOGY OF RICH AND POOR

"The single most accessible presentation of what is known as 'social ecology' that has yet been written."—The Nation

Edward Rivera
FAMILY INSTALLMENTS
Memories of Growing Up Hispanic

From Protest to Challenge

A Documentary History of African Politics in South Africa, 1882–1990

Volume 5: Nadir and Resurgence, 1964–1979

Thomas G. Karis and Gail M. Gerhart

NEW YORK TIMES BESTSELLER

THE GOD OF SMALL THINGS

A NOVEL

ARUNDHATI ROY

a lexicon of terror

argentina and the legacies of torture

marguerite feitlowitz

GILBERT HERNANDEZ

POISON RIVER

A Love and Rockets Collection

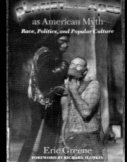

THE TWO TOWERS
J.R.R. Tolkien

THE FELLOWSHIP OF THE RING
J.R.R. Tolkien

THE RETURN OF THE KING
J.R.R. Tolkien

SAMUEL

THE MOTION OF LIGHT IN WATER

SEX AND SCIENCE FICTION WRITING IN THE EAST VILLAGE

DELANY

Planet of the Apes as American Myth

Race, Politics, and Popular Culture

Eric Greene

FOREWORD BY RICHARD SLOTKIN

THE WOMAN WARRIOR

MEMOIRS OF A GIRLHOOD AMONG GHOSTS

MAXINE HONG KINGSTON

"Brilliant . . . as mysterious and new as memory, myth and desire."

TOLKIEN The Tolkien Reader

SISTER ALICE

2ND FOUNDATION Isaac Asimov

FOUNDATION AND EMPIRE Isaac Asimov

FOUNDATION Isaac Asimov

ARCHITECTS OF HYPERSPACE

...EN OF THE LENS · E.E. Doc SMITH

E.E. 'Doc' Smith
GALACTIC PATROL

OEB
OEB
OEB
OEB
...MEN OEB

LENS...

BRUCE LEE

A WRINKLE IN TIME MADELEINE L'ENGLE

the aleph and other stories

DREAM MAKERS CHARLES PLATT

PATTERNMASTER OCTAVIA BUTLER

WILD SEED

CLAY'S ARK OCTAVIA BUTLER

DAWN OCTAVIA BUTLER

ADULTHOOD RITES OCTAVIA BUTLER

IMAGO OCTAVIA BUTLER

Citizen of the Galaxy ROBERT A. HEINLEIN

THE MOON MEN EDGAR RICE BURROUGHS
BURROUGHS · THE MOON MEN

THE SHOCKWAVE RIDER JOHN BRUNNER

THE BOOKMAN LAVIE TIDHAR

We the Underpeople Cordwainer Smith

THE LAST GREEN TREE

FIRST INTO NAGASAKI GEORGE WELLER

JIM GRIMSLEY

The Beginning Place

BY THE BOMB'S EARLY LIGHT
PAUL BOYER   AMERICAN THOUGHT AND CULTURE AT THE DAWN OF THE ATOMIC AGE

9M

FRANKLIN FUTUR

Samuel R. Delany   **Shorter Views**
Queer Thoughts & The Politics of the Paraliterary

FORMATION
of VIOLENC

FEAR IN CHILE

GENA COREA   MOT
MAC

LIFE UNDER A CLOUD

M ▸ P

Destroying the Worl

CONFESSIONS OF AN ARGENTINE DIRTY WARRIOR

GE CREATIONS   Donna Kossy

ARCE   The **INFERNO**   WISCONSIN

Terminus **Brain**

THE MEGAMACHINE   DAVID WATSON

SHAPIRO   *ATOMIC BOMB CINEMA*

OLIVER   COLONIZATI

N DILLON   **The Dirty War**

FEAR IN CHILE   Lives Under Pinochet   Patricia Politzer

WARRIOR DRE

OS-FATOUROS, ZIMBARDO   violence workers   Police Torturers and Murderers
Reconstruct Brazilian Atrocities

Mitchell   A GUIDE TO APOCALYPTIC CINEMA

Films of John Carpenter

六本木クロッシング：日本美術の新しい展望2004
ROPPONGI CROSSING
NEW VISIONS IN CONTEMPORARY JAPANESE ART 2004

NG BLOOD

MANUEL DE LOPE

HEALING BACK PAIN

my happy life

ALL YOU NEED IS KILL

HIROSHI SAKURAZAKA

WILSON

BRIDE of the WATER-GOD

Mo-Kyung Yeo

Steffens

Unpacking My Library

Yale

Huyssen

Twilight Memories

HEIRESS of WATER

Sandra Rodríguez Barron

LARSSON

millennium II

The Girl Who Played with Fire

Quercus

MURIEL BARBERY · The Elegance of the Hedgehog

CHRISTOPHER BARZAK

THE LOVE WE SHARE WITHOUT KNOWING

The Reader — Bernhard Schlink

ROBERT V. S. REDICK

THE RED WOLF CONSPIRACY

BALLANTINE BOOKS

Prieto

The Cubans of Union City

TEMPLE

LA LA PIPO

HIDEO OKUDA

VERTICAL

The Forever War

Knopf

Dexter Filkins

MILLER

"MORE"

JOHN HODGMAN

DUTTON

TRADING WITH THE ENEMY

A Yankee Travels Through Castro's Cuba

Okuda

In the Pool

Nunca Más

POSTMEMORIES OF TERROR

SUSANA KAISER

Farrar Straus Giroux

Servicio Paz y Justicia URUGUAY

URUGUAY Nunca Más

Temple

Nunca Más

Temple

KIRBY FIVE-OH! • CELEBRATING 50 YEARS OF THE "KING" OF COMICS   Edited by John Morrow   TwoMorrows Publishing

Maruki   HIROSHIMA NO PIKA   Lothrop

Vincent van Gogh - The Letters
Vincent van Gogh - The Letters — The Hague 1881–1883
Vincent van Gogh - The Letters — Drenthe · Paris, 1883–1887
Vincent van Gogh - The Letters — Arles, 1888–1889
Vincent van Gogh - The Letters — Saint-Rémy · Auvers, 1889–1890
Vincent van Gogh - The Letters

1
193

2
194–384

3
385–576

4
577–771

5
772–902

6

HOPE AND OTHER DANGEROUS PURSUITS
ALL MY FRIENDS ARE SUPERHEROES   ANDREW KAUFMAN

CHERNIAVSKY   INCORPORATIONS

Thompson   Apocalyptic Dread   SUNY

NICOLAS ABRAHAM & MARIA TOROK   The Shell and the Kernel

IAN McDONALD   BRASYL

DAVID PARROSCH   THE BURIED BOOK

MY GIRLFRIEND COMES TO THE CITY AND BEATS ME UP   STEPHEN ELLIOTT

The HEART OF JAPAN

RUSSELL SMITH   YOUNG MEN

STEVE ALMOND   THE EVIL   B.B. CHOW

THE CASEBOOK OF VICTOR FRANKENSTEIN   PETER ACKROYD

PHILIP REEVE   MORTAL ENGINES

Hotel Iris   Yoko Ogawa

THE REPOSSESSION   ERIC GARCIA

BODIES OF TOMORROW

Chang-rae Lee   A Gesture Life

SON OF MAN   ROBERT SILVERBERG

PRETEND WE'RE DEAD

SHORTS   ALBERTO FUGUET

STORY

Amy Bloom   WHERE THE GOD OF LOVE HANGS OUT

JOHN ROSS   EL MONSTRUO   DREAD AND REDEMPTION IN MEXICO CITY

The Oxford English Dictionary — SECOND EDITION — XVI — Soot–Styx
The Oxford English Dictionary — SECOND EDITION — XVII — Su–Thrivingly
The Oxford English Dictionary — SECOND EDITION — XVIII — Thro–Unelucidated
The Oxford English Dictionary — SECOND EDITION — XIX — Unemancipated–Wau-wau
The Oxford English Dictionary — SECOND EDITION — XX — Wave–Zyxt BIBLIOGRAPHY

THE ART OF JAMES BAK

SURVIVORS   TERRY NATION

TECHNOPHOBIA!

Anna Karenina   LEO

DARK CONTINENTS   Psychoanalysis and Colonial

The Films of John Carpenter

Carol Rose — Giants, Monsters & Dragons

Fernández — latin jazz — CHRONICLE BOOKS

DREAMWORLD AND CATASTROPHE — Buck-Morss

AT THE SIDE OF TORTURE SURVIVORS

CRUISING THE ANIME CITY — An Otaku Guide to Neo Tokyo — Patrick Macias and Tomohiro Machiyama

A History of Argentina in the Twentieth Century

THE DISENCHANTED ISLAND — Fernandez

KRICH — EL BEISBOL

Sugarball — Alan M. Klein — The American Game, the Dominican Dream

THE THREE WORLDS — PETER WORSLEY — Weidenfeld & Nicolson

American Academy of Arts and Letters — 633 West 155 Street · New York, N.Y. 10032-7599

$016.60

COMIC BOOK CULTURE

Seoul Selection Guides — SEOUL

When Time Shall Be No More — BOYER

MICHAEL TAUSSIG — Shamanism, Colonialism, and the Wild M...

MILLENNIAL MONSTERS — ALLISON

REDEMPTION SONG — MIKE MARQ...

AGAINST THE WORLD — ARMSTRONG

레베카 골드슈타인과
스티븐 핑커

_ Rebecca Goldstein &
 Steven Pinker

레베카 골드슈타인의 서재

리아 프라이스: 컬렉션은 몇 년도까지 거슬러 올라가나요? 지금 소장하고 있는 책 중에서 언제 구입한 책이 가장 오래되었나요? 몇 살 때부터 책을 구매하기 시작했나요? 이사를 할 때 가지고 온 책과 버린 책은 각각 어떤 것들인가요? 어떤 시기에 읽었던 책이 당신에게 가장 중요한가요? 독서를 중단한 시기가 있나요?

레베카 골드슈타인: 저의 가족은 책을 사는 것은 사치라고 생각했습니다. 오직 부자만 책을 산다고 믿었죠. 그래서 우리는 공공 도서관을 이용했습니다. 이 덕분에 책을 사기 시작한 때를 정확하게 기억할 수 있습니다. 14살 때부터 책을 사기 시작했습니다. 베이비시터로 일했고 주일학교에서 아이들도 가르쳤습니다. 부모님은 제가 일해서 번 돈은 오롯이 저의 몫으로 남겨두셨습니다. 전 이 돈으로 책을 샀습니다. 제일 처음 산 책을 아직도 기억합니다. 바로 헨리 데이비드 소로(Henry David Thoreau)의 《월든(Walden)》입니다. 그러고 보니 다른 기억도 떠오르네요. 맥아더상을 수상했을 때, 진행자가 상금을 어디에 쓸 것이냐고 물었습니다. 그때 가장 먼저 떠오른 것이 오랫동안 갖고 싶었던 윌리엄 예이츠(William Yeats)의 전집이었습니다. 그러나 당시는 돈에 쪼들리던 때라 전집을 살 준비가 안 됐다고 생각했습니다.

그런 면에서 지금 저는 아주 운이 좋습니다. 사고 싶은 책은 뭐

든지 살 수 있으니까 말입니다. 그래도 책을 살 때는 여전히 조심스럽습니다. 일단 제 손에 들어온 것을 절대 버리지 않습니다. 그래서 책을 살 때면 항상 망설이고 고민합니다.

베이비시터로 일해서 번 돈으로 구입한 책들을 아직도 가지고 있습니다. 예를 들면, 토마스 J. J. 알타이저(Thomas J. J. Altizer)와 윌리엄 헤밀턴(William Hamilton)의 《급진적인 신학과 신의 죽음(Radical Theology and the Death of God)》입니다. 아마도 제목이 너무 충격적이어서 이 책을 샀던 것 같습니다. 게다가 표지마저 붉은색이었으니까요. 굉장히 종교적인 여자고등학교를 다녔습니다. 학교에서 저는 이 책을 수업시간에 교실 뒤에 앉아서 당당하게 읽었습니다. 당시 저는 선생님이 수업시간에 이런 책을 읽고 있는 저를 나무라거나 꾸짖기를 바랐습니다. 누구라도 싸움을 걸어주기를 기다리고만 있었습니다. 그런 저의 심리를 아셨는지, 선생님은 수업시간에 논란이 될 만한 책을 읽는 저를 그냥 내버려두셨습니다.

독서를 멈춘 적은 단 한 번도 없습니다. 가끔 의도적으로 소설을 안 읽는 때는 있습니다. 예를 들어, 철학 박사 학위논문을 마무리할 때, 스스로에게 소설을 금지했습니다. 논문에 집중을 못할까 봐 걱정스러웠기 때문이었죠. 논문을 끝내자마자 미친 듯이 소설을 읽었습니다. 오랫동안 소설을 못 읽어서 소설에 굶주려 있었던 것 같습니다. 당시에는 거창하고 맛깔스럽고 한시라도 눈을 뗄 수 없는 19세기 소설에 푹 빠졌습니다. 《비운의 주드(Jude the Obscure)》를 끝내자마자 《골든볼(The Golden Bowl.)》을 읽기 시작했습니다.

인생 도서에 대해서 이야기해보죠. 이 중에서 당신에게 가장 중요한 책은 무엇인가요? 집에서 멀리 떠나있을 때 가장 그리운 책이 있나요? 집에 불이 났다면, 집에서 제일 먼저 가지고 나올 책은 무엇이고 그 책을 선택한 이유는 무엇인가요?

스피노자(Spinoza)의 《윤리학(Ethics)》과 데이비드 흄(David Hume)의 《인간 본성에 관한 논고(Treatise on Human Nature)》는 제가 대학교를 다닐 때 샀던 책들입니다. 닳아 없어질 정도로 많이 본 책들이죠. 이 책들을 통해 많은 것을 배웠습니다. 그리고 글을 쓸 때 주로 참고하는 책들이기도 합니다. 가지고 있는 《윤리학(Ethics)》 해석본은 요즘 대부분의 학자들이 사용하는 해석본과는 다릅니다. 물론 저의 해석본보다 우수한 해석본들이 많습니다. 하지만 저는 저의 해석본을 보면서 학술지에 실릴 글을 씁니다. 글을 인용하기도 하죠. 종종 이 인용글에 토를 달거나 반감을 표하는 편집자들도 있습니다. 그렇다고 그 인용글을 생략하거나 삭제하지 않습니다. 현대판보다 해석이 매끄럽지 못할 수 있지만, 저의 해석본에 담겨 있는 말은 저에게 스피노자의 가르침이나 다름없습니다. 이 해석본을 완전히 외우고 있죠. 이 두 권의 책에는 대학생일 때부터 메모한 저의 생각들이 빼곡히 적혀있습니다. 의미가 이해가 되지 않아서 물음표를 달았다가 몇 해 뒤에 그 물음에 대한 해답을 찾게 된 구절도 많습니다. 일기를 쓴 적이 단 한 번도 없습니다. 하지만 저의 생각들이 적혀있는 이 책들이 저에게는 일기나 다름없습니다.

사진 속 책장에 꽂혀있지 않은 책들에는 어떤 것들이 있나요? 요리책, 전화번호부, 음란물 등 책장이 아닌 다른 장소에 보관해두는 책이 있나요? 부엌, 욕실, 그리고 침대 옆 탁자에는 어떤 책을 보관하나요? 반대로 책이 아닌데 책장에 보관하고 있는 물건이 있나요?

부엌에 요리책 몇 권이 있습니다. 근데 요즘은 거의 보지 않습니다. (차이나타운 근처에 살고 있어서 테이크아웃의 유혹을 떨칠 수가 없네요.) 침대 옆 탁자에는 현재 읽고 있는 책들이 놓여있습니다. 한 번에 두세 권의 책을 동시에 읽는 편입니다. 하지만 소설은 한 번에 하나만 읽습니다. 예전에는 꽃병과 촛대를 책과 함께 보관했었습니다. 근데 어느 순간 이렇게 책과 다른 물건을 함께 보관하는 것이 마음에 들지 않더라고요. 철학자들이 부르는 '범주 오인(category mistake)'을 저지른 것만 같았습니다. 저의 인생에서 유일하게 엄격한 규칙에 따라 정리 정돈하는 것이 바로 책입니다. 글도 이런 식으로 씁니다. 생각이 명료하고 일관성 있게 정리가 돼야 글을 쓸 수 있습니다.

책을 친구들에게 빌려주나요?

학생들에게 책을 빌려주곤 했습니다. 학생들에게 끊임없이 책을 권합니다. 그래서 돌려받지 못해 잃어버린 책도 많습니다. 여백에 저의 생각이 적혀있는 책을 잃어버리거나 돌려받지 못 했을 때 가장 속상합니다. 물론 지금도 사람들에게 책을 빌려줍니다. 요즘은 그 대상이 주로 두 딸들입니다. 물론 딸들에게 빌려주고 돌려받은 책은 거의 없습니다. 그래도 학생들에게 빌려주고 돌려받지 못 하는 것과 딸들에게 빌려주고 돌려받지 못 하는 것은 다르잖아요?

《신이 존재하는 36가지 이유: 허상(Thirty-Six Arguments for the Existence of God: A Work of Fiction)》에서 "지적일수록 독서를 하면서 책에 메모를 많이 한다."라고 하셨습니다. 독서가 저술활동에 어떤 영향을 주나요? 반대로 저술활동은 독서에 독서에 어떤 영향을 주고 있나요? 책을 읽으면서 노트북, 포스트잇이나 노트에 메모를 하나요? 연필, 펜, 책갈피나 접착 메모지로 책에 표시를 하나요? 자료집, 요리책처럼 메모를 하거나 표시를 하는 책이 있고 절대 외관을 훼손하지 않는 책이 있나요?

글에서 느껴지는 리듬을 중요하게 생각합니다. 글을 쓸 때도 리듬을 쫓습니다. 읽었지만 어디서 읽었는지 확실히 기억나지 않는 글들이 있습니다. 하지만 그 글의 리듬은 정확하게 기억할 수 있습니다. 이렇게 독서를 하면서 느끼는 리듬은 저의 저술활동에 직접적으로 영향을 미칩니다. 그래서 전 책을 읽으면서 느낀 문장의 리듬을 기억해 둡니다. 소설가가 될 거라고 생각했던 적은 단 한 번도 없습니다. 과학 철학 분야에서 박사학위를 땄고 과학 철학이 제가 공부한 학문입니다. 하지만 전 소설을 좋아합니다. 그리고 예전부터 뭐라고 분명하게 정의할 수 없는 열정을 소설에 품고 있었습니다. 학회지 논문을 읽고 공부할 때도 틈틈이 소설을 읽었습니다. 그것이 소설가가 되기 위한 일종의 준비과정이었다는 것을 나중에야 깨달았습니다. 하지만 책을 읽는 동안에는 뭐가 어떻게 저술활동에 도움이 될지 알 수 없습니다. 그냥 집중해서 글을 읽습니다. 완전히 집중하지 못하는 책은 저를 위한 책이 아닙니다. 또 절대 소설책에 메모하지 않습니다.

소설을 읽을 때 그 소설 속에서 삽니다. 시를 읽을 때도 마찬가지입니다. 하지만 철학 책은 완전히 다릅니다. 철학 책을 읽을 때, 저는 그 책과 대화를 하고 저의 생각을 여백에 적습니다. 물론 저도 가죽 제본된 책에 메모하는 것은 솔직히 꺼려집니다. 하지만 그 외 다른 책에는 마음껏 표시도 하고 메모도 합니다.

《신이 존재하는 36가지 이유: 허상(Thirty-Six Arguments for the Existence of God: A Work of Fiction)에는 책을 "계몽에 이르는 발판 사다리"라고 부르는 표현이 나옵니다. 그럼 실제로 책 위에 앉고 책을 다른 물건의 받침대나 컵 받침으로 사용하는 것을 어떻게 생각하나요?

칸트(Kant)는 인간은 목적을 위한 수단으로 사용될 수 없고 그 자체로 목적으로 간주되어야 한다고 했습니다. 이것이 그의 유명한 정언명령(categorical imperative)입니다. 간단하게 말하면 책은 저에게 정언명령의 대상입니다. 저는 결코 책을 컵받침으로 사용하거나 다른 무언가를 떠받칠 지지대로 사용하지 않습니다. 목적을 달성하기 위한 수단으로 인간을 이용하지 않듯이, 무언가를 위한 수단으로 책을 사용하지 않습니다. 전화번호부는 예외일 수도 있겠네요. 하지만 작가들이 혼신을 다해 창조해낸 책은 절대 무언가의 수단이나 도구로 사용되어서는 안 됩니다.

물건을 모아두는 편인가요? 아니면 필요 없는 것은 그때그때 버리는 편인가요? 카세트테이프, LP판, CD 등 다른 매체도 소장하고 계신가요? 아니면 필요할 때 다운로드받고 삭제하나요? 보관하기 싫은 책은 어떻게 처리하시나요? 기부하거나 재활용하거나 누군가 가져가도록 길에 내놓나요? 다 읽은 책을 버린다거나 해져서 너덜너덜해진 책을 대신할 새 책을 살 때 당신만의 금기사항이 있나요?

내셔널 북 어워드 등 수많은 북 콘테스트에서 심사위원을 맡았습니다. 북 콘테스트의 심사위원은 그 해 거의 300권에 이르는 책을 읽어야만 합니다. 그래서 어쩔 수 없이 책을 버리게 되죠. 하지만 마음 먹고 손에 넣은 책은 절대 버리지 않습니다. 너무 많이 읽어서 헤지고 너덜너덜해진 책들도 마찬가지입니다. 가끔 책의 훼손 상태가 너무 심각하면, 새 책을 사기도 합니다. 베이비시터로 일해서 번 돈으로 구입한 윌리엄 제임스(William James)의 《종교 체험의 다양성(The Varieties of Religious Experience)》은 다 해어져 너덜너덜하죠. 그래서 참고용으로 책 한 권을 더 샀고 오래되고 너덜너덜해진 기존 책은 그냥 보관용으로 간직하고 있습니다.

매체가 변하면서 글을 읽거나 쓰는 습관에도 변화가 생겼나요? 킨들, 아이패드 등과 같은 전자 단말기를 사용하시나요?

새로운 매체가 인간의 지능을 감소시킨다는 주장은 설득력이 없습니다. 연구자로서 정보에 접근하는 새로운 방식들이 그저 놀라울 따름입니다. 이 새로운 매체가 인지의 정확성과 정밀성을 새로운 수준으로 높일 수 있다고 생각합니다. 예를 들어 어떤 친구가 미심쩍은 사실을 거론하면서 어떤 주장을 펼친다면 어떻게 하시겠습니까? 이제는 그의 주장이 진실인지 거짓인지를 그 자리에서 바로 구글을 통해 확인할 수 있습니다.

레베카 골드슈타인이 선정한 10권의 인생 도서

《플라톤 대화 모음집(Plato The Collected Dialogues)》

아이작 바셰비스 싱어, 《이야기 모음집(The Collected Stories)》

헨리 제임스, 《헨리 제임스의 완벽한 노트(The Complete Notebooks of Henry James)》

베네딕트 드 스피노자, 《윤리학(The Ethics)》

스티븐 핑커, 《마음은 어떻게 작동하는가(How the Mind Works)》

E. A. 버트, 《현대 자연과학의 형이상학적 토대(The Metaphysical Foundations of Modern Physical Science)》

조지 엘리엇, 《미들마치(Middlemarch)》

토마스 나이젤, 《이타심(The Possibility of Altruism)》

데이비드 흄, 《인간 본성에 관한 논고(A Treatise of Human Nature)》

윌리엄 제임스, 《종교 체험의 다양성(The Varieties of Religious Experience)》

PLATO

The Collected Dialogues

including the Letters

edited by Edith Hamilton and Huntington Cairns

with Introduction and Prefatory Notes

Bollingen Series LXXI · Princeton

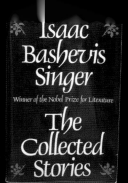

Isaac
Bashevis
Singer

Winner of the Nobel Prize for Literature

The
Collected
Stories

THE COMPLETE NOTEBOOKS OF HENRY JAMES

EDEL and POWERS

OXFORD

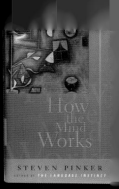

How
the
Mind
Works

STEVEN PINKER

AUTHOR OF THE LANGUAGE INSTINCT

The Metaphysical Foundations
of Modern Physical Science

E.A. Burtt

The scientific thinking
of Copernicus, Galileo, Newton
and their contemporaries

MIDDLEMARCH

GEORGE ELIOT

EDITED BY BERT G. HORNBACK

A NORTON CRITICAL EDITION

SECOND EDITION

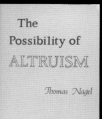

The
Possibility
of
ALTRUISM

Thomas Nagel

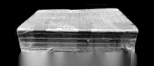

William
James
the varieties
of religious
experience

스티븐 핑커의
서재

리아 프라이스: 컬렉션은 몇 년도까지 거슬러 올라가나요? 언제 처음으로 책을 소장하겠다고 마음먹었나요? 몇 살부터 책을 사기 시작했나요? 이사를 하면서 가지고 온 책은 무엇이고 버린 책은 무엇인가요? 살면서 독서를 그만 둔 시기가 있나요?

스티븐 핑커: 십 대 초반일 때부터 책을 사기 시작했습니다. 《1, 2, 3 … 무한(One Two Three … Infinity: Facts and Speculations of Science)》도 이 시기에 샀던 책입니다. 하지만 본격적으로 책을 모으기 시작한 때는 고등학교를 졸업하면서입니다. 고등학교 졸업식에서 동네 서점에서 쓸 수 있는 10달러 상품권을 받았습니다. 1971년이면 10달러로 꽤 많은 종이책을 살 수 있었습니다. 물론 질 좋은 책을 사기에는 충분치 않았죠. 당시 샀던 책은 산도가 높은 종이에 인쇄된 책이었습니다. 풀로 제본된 책이었죠. 지금은 당시에 산 책들이 전부 다 뒤틀리고 망가졌습니다. 그 이후로 쭉 책을 구입했습니다. 하지만 책을 신주단지 모시듯이 다루지는 않습니다. 지금까지 총 11번의 이사를 했습니다. 매번 이사할 때마다 아니면 3년마다 한 번씩 소장하고 있는 책들을 훑어보고 다시는 읽지 않겠다싶은 책들을 골라서 기부를 합니다. 설령 기부해서는 안 되는 책을 실수로 기부했다면 책을 다시 사면 그만입니다. 지금까지 샀던 모든 책을 보관할 수 있는 크기의 아파트를 사는 것보다 책을 새로 사는 것이 더 싸게 먹히니까요.

인생 도서에 대해 이야기를 해볼까요? 이 10권의 책 중에서 가장 중요한 책은 무엇입니까? 집에 불이 난다면 제일 먼저 들고 나올 책은 뭡니까?

물건으로서 책은 저에게 그다지 매력적인 존재가 아닙니다. 애착도 없고요. 그리고 희귀 도서를 수집하지도 않죠. 여백에 제 생각이 정성스럽게 적혀있는 책이라면 모를까, 책을 잃어버렸다고 슬퍼하지도 않습니다. 그리고 종이책이 편하면 종이책을 읽고, 전자책이 편하면 전자책을 읽습니다. 제일 좋아하는 책을 항상 곁에 둘 필요도 없다고 생각합니다. 그러니 책을 들고 나오기 위해 목숨 걸고 불 속으로 뛰어드는 일은 없을 겁니다. 전 정보를 전달하는 물리적인 매개체보다 정보 자체를 중요하게 생각하는 사람입니다. 그래서 정보 자체에 집중하죠. 여태 살면서 저의 이런 신념이 흔들린 적은 단 한 번도 없었습니다. 인지과학자로서 신경회로보다 인지적 정보처리 프로세스를 더 중요하게 생각합니다. 사례를 하나 들죠. 히브리어를 사용하는 학교를 다녔습니다. 어렸을 때 랍비에게 율법이 그렇게 중요하다면 왜 IBM 펀치카드가 아닌 썩어 없어질 양피지에 식물성 잉크로 기록했냐고 반문했었던 기억이 납니다.

　　물론 책에 담긴 내용은 정말 좋아합니다. 비소설을 선택할 때는 그 책이 명료하고 정확하고 접근하기 쉽고 깊이가 있으면서 재치 있는지를 항상 살핍니다. 마크 트웨인(Mark Twain)과 허먼 멜빌

(Herman Melville)의 소설은 언어와 인간 본능에 관심이 있는 사람에게는 금광과 같은 존재입니다.

가지고 있는 책장은 무엇으로 만들어졌고 어디서 구하셨나요?

저의 책장은 여러 개의 하얀색 큐브를 쌓아서 만든 것입니다. 14년 전에 큐브가 주는 즐거움을 발견했죠. 큐브로 책장을 만들면 책을 분류하고 찾는 것이 쉬워집니다. 그리고 북엔드라는 흉측한 물건도 필요 없죠. 저의 오래된 콘도에는 비밀 공방이 있었습니다. 그 곳에서 큐브로 책장을 만들곤 했습니다. 주로 인터넷으로 큐브를 주문했습니다. 새 큐브를 너무 자주 구입하니까, 직장 동료들은 호기심에 도대체 큐브로 뭘 만드느냐며 묻곤 했습니다. 큐브 책장을 촬영한 사진을 온라인몰에 보내기도 했습니다. 우연히 그 사진을 본 영업사원이 저의 책장 사진을 웹사이트(http://www.smartfurniture.com/smartshelves.html)에 사용하겠다고 요청한 적도 있습니다. 아마 큐브 책장을 판매할 수만 있다면, '아이 원트 댓(I Want That)'란 TV쇼에 출연해서 상품 추천 영상도 기꺼이 찍었을 겁니다. 저의 큐브 책장에 확신이 있었습니다. 그래서 책장을 팔려고 좀 과장되게 홍보도 했습니다. 새롭게 등장한 웹사이트에 저의 책장이 소개되기도 했습니다. 당시에는 그것이 무엇인지 잘 몰랐지만, 지금 와서 생각해보

는 그 웹사이트는 바로 유튜브였습니다.

책장 말고 다른 장소에 보관하는 책이 있나요? 가령, 요리책, 전화번호부 그리고 포르노잡지 같은 것들 말입니다.

포르노라고 불릴만한 책이 딱 한 권 있네요. 19세기 후반 입체 누드 사진집입니다. 프랑스판이죠. 19세기 후반은 입체 사진술의 전성기였죠. 《마음은 어떻게 작동하는가(How the Mind Works)》를 쓸 때 입체시를 다룬 섹션이 있었어요. 그때 산 책입니다. 인터뷰에 대비하려고 플레이보이 잡지를 산 셈이었죠.

최근에 '디지털 미디어가 인간을 점점 멍청하게 만든다'는 니콜라스 카(Nicholas Carr)의 주장을 반박하며 "지적 깊이를 운운하며 파워포인트나 구글을 욕하지 마라. 심사숙고하고 철저하게 파고들어 엄격하게 추론하는 습관은 자연스럽게 생기는 것이 아니다. 이것은 우리가 대학이라 부르는 특별한 제도 안에서 노력해서 습득하는 것이다. 그리고 분석, 비판과 토론으로 끊임없이 관리해야 한다. 당신의 무릎 위에 두꺼운 백과사전을 둔다고 해서 얻어지는 것들이 아니다. 그리고 정보에 대한 접근성을 높이는 인터넷이 쉽게 앗아갈 수 있는 것들도 아니다."라고 했습니다. 매체가 변하면서 글을 쓰거나 읽는 습관도 변했다고 생각하시나요? 킨

들과 아이패드와 같은 전자 단말기를 사용하시나요? 온라인으로 글을 얼마나 읽으시나요? 신문을 사거나 구독하시나요? 오디오북을 들으시나요? 소리 내서 읽는 것을 좋아하나요? 아니면 누군가가 읽어주는 것을 좋아하시나요?

가끔 하나의 소설을 아이폰, 아이패드 그리고 종이책을 오가며 읽습니다. 책을 읽는 장소에 따라서 독서 매체가 달라집니다. 아이폰으로 책을 읽으면 자투리 시간을 낭비하지 않고 알뜰하게 활용할 수 있어서 좋습니다. 비행기 탑승 대기줄이나 사람으로 가득한 지하철 플랫폼에 서서 아이폰으로 책을 읽습니다. 하지만 16살 때부터 쭉 매일 아침 종이 신문을 읽고 있습니다. 일종의 아침 의식이죠. 그런데 최근에 아이패드로 갈아탔어요. 제가 사는 동네는 신문 배달이 불안정하고 잦은 출장 때문에 집을 자주 비우거든요. 예전에는 가위를 곁에 두고 신문을 읽었습니다. 마음에 들거나 중요하다고 판단되는 기사를 스크랩을 하기 위해서였죠. 요즘은 마음에 들거나 중요하다 싶은 기사는 저에게 이메일로 보내고 있습니다.

지금으로부터 5년, 10년 그리고 20년 뒤 서재가 어떤 모습일지 생각해 보셨어요? 종이와 풀로 만들어진 물건 그러니까 종이책이 여전히 존재할까요?

텔레비전이 나와도 여전히 우리는 라디오를 듣습니다. 책은 말할 것도 없죠. 전자책이 나왔다고 종이책이 이 세상에서 사라지지 않을 겁니다. 저처럼 기술을 좋아하고 종이책을 고집하지 않는 사람들도 계속 종이책을 읽을 겁니다. 여러모로 종이는 훌륭한 기술입니다. 예를 들어, 종이책에는 공간 기억을 활용할 수 있습니다. 공간 기억을 이용해서 책이 어디에 꽂혀있었는지를 파악할 수 있죠. 대체로 인터넷 검색보다 더 빨리 위치 파악이 가능합니다. 그리고 책을 어디까지 읽었는지와 핵심어가 생각나지 않을 때 책의 어디쯤에서 그 구절을 봤었는지를 찾는 데 공간 기억이 도움이 됩니다.

스티븐 핑커가 선정한 10권의 인생 도서

테오도르 M. 번스타인, 《주의 깊은 작가: 영어 활용에 관한 현대 지침서(The Careful Writer: A Modern Guide to English Usage)》

노암 촘스키, 《언어에 대한 고찰(Reflections on Language)》

리차드 도킨스, 《눈먼 시계공(The Blind Watchmaker: Why the Evidence of Evolution Reveals a Universe Without Design)》

버나드 디보토, 《휴대용 마크 트웨인(The Portable Mark Twain)》

갈릴레오, 《갈릴레오의 두 우주 체계에 관한 대화(Dialogue Concerning the Two Chief World Systems》

조지 가모브, 《1, 2, 3 그리고 무한(One Two Three ... Infinity: Facts and Speculations of Science)》

레베카 뉴버거 골드슈타인, 《신이 존재하는 36가지 이유: 허상(36 Arguments for the Existence of God: A Work of Fiction)》

토머스 홉스, 《리바이어던(Leviathan)》

윌리엄 제임스, 《심리학(Psychology)》

아이작 바셰비스 싱어, 《적 그리고 사랑 이야기(Enemies, A Love Story)》

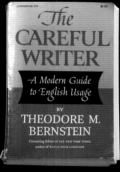

The CAREFUL WRITER

A Modern Guide to English Usage

BY

THEODORE M. BERNSTEIN

Consulting Editor of the NEW YORK TIMES
author of WATCH YOUR LANGUAGE

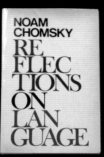

NOAM CHOMSKY

RE FLEC TIONS ON LAN GUAGE

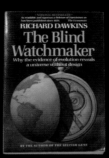

NATIONAL BESTSELLER • As readable and rigorous a defense of Darwinism as has been published since 1859. — The Economist

RICHARD DAWKINS

The Blind Watchmaker

Why the evidence of evolution reveals a universe without design

BY THE AUTHOR OF THE SELFISH GENE

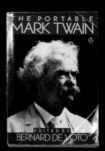

THE PORTABLE MARK TWAIN

EDITED BY

BERNARD DE VOTO

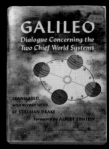

GALILEO

Dialogue Concerning the Two Chief World Systems

TRANSLATED, WITH REVISED NOTES
BY STILLMAN DRAKE
Foreword by ALBERT EINSTEIN

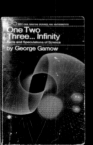

One Two Three... Infinity
Facts and Speculations of Science
by George Gamow

REBECCA NEWBERGER GOLDSTEIN

36 ARGUMENTS FOR THE EXISTENCE OF GOD

a work of fiction

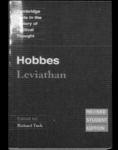

Cambridge Texts in the History of Political Thought

Hobbes
Leviathan

Edited by
Richard Tuck

REVISED
STUDENT
EDITION

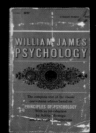

WILLIAM JAMES PSYCHOLOGY

The complete text of the classic curriculum edition based on
PRINCIPLES OF PSYCHOLOGY
With an introduction

WINNER OF THE NOBEL PRIZE IN LITERATURE

ISAAC BASHEVIS SINGER

ENEMIES,
A Love Story

THE NEW PRINCETON ENCYCLOPEDIA OF POETRY AND POETICS

Edited by ...

FRANK J. WARNKE Associate ...

PRINCETON

THE NEW PRINCETON ENCYCLOPEDIA OF POETRY AND POETICS

2

Goethe — Faust I & II — ALLEN GINSBERG KADDISH — PRINCETON

SUPERNATURAL LOVE — Gjertrud Schnackenberg — FSG

BREAK, BLOW, BURN — Camille Paglia — READS FORTY-THREE OF THE WORLD'S BEST POEMS — PANTHEON

VIRGIL · THE GEORGICS

A. Van Jordan — M·A·C·N·O·L·I·A — ISBN 0-393 04 404 5 — NORTON

THE THRONE OF LABDACUS

A GILDED LAPSE OF TIME — Gjertrud Schnackenberg — Noonday

Erdman — THE ILLUMINATED BLAKE — Dover — 0-486-27234-6

Erdman — The Complete Poetry and Prose of WILLIAM BLAKE — California

BLAKE AND SWEDENBORG — Opposition Is True Friendship — SWEDENBORG FOUNDATION

THE SELECTED POETRY OF RAINER MARIA RILKE — Edited and Translated by Stephen Mitchell — Random House

BROWNING — Robert Browning's Poetry — NORTON CRITICAL EDITIONS

Jorge BORGES — SELECTED POEMS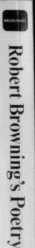

POETRY

Inventing the Charles River — Haglund

Bergen OLD BOSTON in Early Photographs 1850-1918 174 Prints from the Collection of the Bostonian Society

Boston THEN AND NOW — Elizabeth McNulty

NEW YORK AN ILLUSTRATED HISTORY — RIC BURNS AND JAMES SANDERS WITH LISA ADES — KNOPF

A VANISHED WORLD · ROMAN VISHNIAC — Vanderwater BOSTON THEN AND NOW — Dover 0-486-24312-5

IMAGE BEFORE MY EYES — DOBROSZYCKI KIRSHENBLATT-GIMBLETT — SCHOCKEN

Mapping Boston — Krieger and Cobb editors

COOK — MATHEMATICIANS

THE COMPLETE FAR SIDE. VOLUME ONE 1980-1986 — Gary Larson

THE COMPLETE FAR SIDE. VOLUME TWO 1987-1994 — Gary Larson

Stuckey MONET A RETROSPECTIVE — PARK LANE

MUSEUM OF THE MIND PAUL SPOONER — ABRAMS

Grafton NEW YORK in the Nineteenth Century — Dover 0-486-23377-0

BLACK OLD NEW YORK IN EARLY PHOTOGRAPHS — Dover 0-486-22907-2

ANNIE LEIBOVITZ WOMEN SUSAN SONTAG — RANDOM HOUSE

SINHA The Great Book of Tantra — DESTINY

FRANKEL THE JEWISH SPIRIT A CELEBRATION IN STORIES & ART — STEWART TABORI & CHANG

Very Young Dancer — Jill Krementz — Alfred A. Knopf

Byron BLACK OLD NEW YORK Life at the Turn of the Century in Photographs — Dover 0-486-23661-8

PEANUTS: A Golden Celebration — Harper Collins

landscape · art · history POLAND — KLUSZCZYNSKI

THE WORLD OF Chas Addams — Black Dog & Leventhal Publishers

THE COMPLETE CARTOONS OF THE NEW YORKER EDITED BY ROBERT MANKOFF

THE CONFESSIONS OF NAT TURNER — STYRON — VINTAGE

Madeleine Thien — CERTAINTY

THE GOOD THIEF — HANNAH TINTI — THE DIAL PRESS

COLM TÓIBÍN — THE MASTER — PICADOR

TOLSTOY — THE DEATH OF IVAN ILYICH AND OTHER STORIES — ISBN 0-14-044989-6

EMMA SMART — JONATHAN TREITEL

THE VIKING PORTABLE LIBRARY — MARK TWAIN — ISBN 0-14-015.038-0 — Penguin

The Adventures of Tom Sawyer — MARK TWAIN — Illustrated by Donald McKay — Grosset & Dunlap

JOHN UPDIKE — MARK TWAIN • TALES, SPEECHES, ESSAYS, AND SKETCHES — Bech at Bay — Penguin

WAGENSTEIN — FAREWELL, SHANGHAI — A NOVEL — WAGENSTEIN — Handsel Books

ISAAC'S TORAH — a novel — Handsel Books

WAUGH — Vile Bodies — Little, Brown

West — Miss Lonelyhearts & The Day of the Locust — NDP125

RAT MAN OF PARIS — WEST — TU/M

THE HOUSE OF MIRTH — Wharton — S1.41 — SCRIBNERS

THE AGE OF INNOCENCE — Wharton — S1.201 — SCRIBNERS

JOACHIM
NEUGROSCHEL

The
Shtetl

OVERLOOK

JOSEPH ROTH

WHAT I SAW

JOSEPH ROTH

NORTON

The Wandering Jews

JOSEPH ROTH

The Atlas of Jewish History · Martin Gilbert

MORROW

KATZ
OUT OF THE GHETTO
The Social Background of Jewish Emancipation 1770–1870

SCHOCKEN

SIMON WIESENTHAL · The Sunflower
On the Possibilities and Limits of Forgiveness

PRIMO LEVI · Survival in Auschwitz

BEREL LANG · ACT AND IDEA IN THE NAZI GENOCIDE

Chicago

Lang · HOLOCAUST REPRESENTATION

Johns Hopkins

The War Against the Jews · Lucy S. Dawidowicz

Sartre: Anti-Semite and Jew

Schocken

DERSHOWITZ · THE CASE AGAINST ISRAEL'S ENEMIES
EXPOSING JIMMY CARTER AND OTHERS WHO STAND IN THE WAY OF PEACE

WILEY

Marx · A World without Jews

A SONG OF LONGING · Shelemay

Illinois

Judith Edelman-Green · Immigrant Lessons

MEMOIR · GEFEN

AMONG THE RIGHTEOUS · ROBERT SATLOFF

Tadeusz Borowski · This Way for the Gas, Ladies and Gentlemen

Penguin

THE GREAT ESCAPE
NINE JEWS WHO FLED HITLER AND CHANGED THE WORLD
KATI MARTON

Simon & Schuster

PUSHING TIME AWAY
My Grandfather and the Tragedy of Jewish Vienna
Peter Singer

ecco

The Works of PLATO

T 71

PLATO · THE LAST DAYS OF SOCRATES

THE REPUBLIC OF **PLATO**

ALLAN BLOOM

Basic Books

Nussbaum

The fragility of goodness

CAMBRIDGE

COBB

The Symposium and the Phaedrus Plato's Erotic Dialogues

SUNY

PLATO

Collected Dialogues

edited by Edith Hamilton and Huntington Cairns

PLATO

Collected Dialogues

edited by Edith Hamilton and Huntington Cairns

PLATO The Symposium

Signet Classic

GREAT DIALOGUES OF PLATO

4.99 U.S. 5.99 CAN.

ARISTOTLE

CONSTITUTION OF ATHENS

HAFNER PRESS

The History of Scepticism R. H. Popkin

RICHARD H. POPKIN

The Philosophy of the 16th and 17th centuries

HARPER TORCHBOOK

Descartes

Philosophical

Descartes Philosophical Works II

CAMBRIDGE

Frankfurt

DEMONS, DREAMERS, & MADMEN

PRINCETON

DESCARTES —

Philosophical Letters

Translated and Edited by ANTHONY KENNY

OXFORD

DESCARTES

ANTHONY KENNY

DESCARTES: A Very Short Introduction

30 OXFORD

SPH 25

JUDAISM'S STRANGE GODS — Michael A. Hoffman II

ERLICH — *Sabbath* — SJU — Startine

LEON WIESELTIER — KADDISH

KINGS I & II — Commentary by I.W. Slotki

Edgar M. Brojman — HOPE, NOT FEAR — BETH ZASLOFF — ST. MARTIN'S PRESS

ON SALE FEBRUARY 2009 — RABBI Joseph Telushkin — LOVE YOUR NEIGHBOR AS YOURSELF — A Code of Jewish Ethics — VOLUME 2 — BELL TOWER

RABBI JOSEPH Telushkin — A CODE OF JEWISH ETHICS — VOLUME 1 — YOU SHALL BE HOLY — BELL TOWER

GENESIS EXODUS LEVITICUS, NUMBERS, AND DEUTERONOMY — TRANSLATED BY EVERETT FOX — SCHOCKEN

DAVID — THE FAMILY HAGGADAH FOR PASSOVER

PUTNAM — JEWISH PHILOSOPHY AS A GUIDE TO LIFE — INDIANA

ALEX — THE MEZUZAH IN THE MADONNA'S FOOT — e

HIMMELFARB — But Were They Good for the Jews? — The Jewish Odyssey of GEORGE ELIOT

JEWS, GOD AND HISTORY — MAX I. DIMONT — Elliot — Rosenberg

The Origins of the Inquisition in Fifteenth Century Spain — SECOND EDITION — B. Netanyahu — nyrb

The Myth of the JEWISH RACE — WAYNE

MELVIN KONNER — UNSETTLED — AN ANTHROPOLOGY OF THE JEWS

레브 그로스만과
소피 지이

_ Lev Grossman & Sophie Gee

레브 그로스만의
서재

리아 프라이스: 인터뷰를 하는 동안, 서재를 뇌의 지도라고 부르셨습니다. 무슨 뜻인가요?

레브 그로스만: 무슨 심오한 뜻에서 그런 표현을 사용한 것은 아닙니다. 누군가의 서재를 둘러보면 그 사람이 무엇에 관심이 있는지, 무엇에 집착하는지 그리고 어떤 추억을 가지고 있는지가 한 눈에 들어옵니다. 마치 그 사람의 머릿속을 보여주는 지도 같죠. 서재에 들어서자마 그가 어떤 사람인지 금방 알 수 있습니다. 현재 어떤 사람인지뿐만 아니라 과거에 어떤 사람이었는지도 알 수 있죠. 저의 서재에는 아주 오래된 책들도 있습니다. 대학에 다닐 때 보던 책, 이전 직장에서 사용하던 책, 옛 연인을 만났을 때 봤던 책 그리고 아버지의 서재에서 가져온 책 등 낡고 오래된 책들로 가득하죠.

그렇다고 서재가 지도처럼 실제로 정말 유용하진 않습니다. 지도는 엄격한 규칙에 따라 만들어지지만, 서재는 주인의 취향대로 정리되니까요. 설사 알파벳순으로 책을 정리하더라도 말입니다. 집 안에 자신만의 서재를 둔다는 것은 멋진 일입니다. 그래서 전자책의 등장으로 서재가 사라져버리는 것이 아닐까 걱정스럽습니다. 전자책을 끄면 그 사람의 과거와 현재를 보여주는 지도는 사라지고 남는 것은 회색의 플라스틱 덩어리뿐이잖아요.

컬렉션은 몇 년도까지 거슬러 올라가나요? 제일 처음 수집한 책들 중에서 아직도 가지고 있는 것들이 있나요? 몇 살 때부터 책을 구매하기 시작했나요? 이사를 할 때 가지고 온 책과 버린 책은 각각 어떤 것들인가요? 어떤 시기에 읽었던 책이 가장 중요한가요? 독서를 관둔 시기가 있나요?

책을 읽기 시작한지는 꽤 오래되었는데요. 그렇지만 지금 소장하고 있는 책들 중에는 그렇게 대단한 것들은 없습니다. 고등학교 저학년 때 읽었던 판타지 소설책 두어 권을 아직도 가지고 있습니다. T. H. 화이트(T. H. White)의 《과거와 미래의 왕(The Once and Future King)》과 프리츠 리버(Fritz Leiber)의 소설 몇 권이 있습니다. 7살인가 8살에 읽었던 《나니아 연대기(The Chronicles of Narnia)》도 있네요. 그렇다고 이 책들이 당시 읽었던 바로 그 책들은 아닙니다. 어린 시절 읽었던 책들은 잃어버렸거나 형제들이 가지고 가버렸어요. 그렇다고 그 책들을 생각하며 감상에 젖지는 않습니다. 저는 어린 시절 사용했던 물건을 보면서 감상에 젖는 부류는 아닙니다.

그러고 보니 대학교를 졸업하고 나서 부지런히 모았던 물건들 중 하나가 책이었네요. 말 그대로 수십 채의 아파트를 가득 채울 정도로 책을 모았죠. 이상하게 저는 손이 닿는 곳에 책이 없으면 불안하더라고요.

인생 도서에 대해서 이야기를 해보죠.

제가 인생 도서로 꼽은 10권의 책들 중에서 두 권의 책에 대해서 이야기하겠습니다.

먼저 《키케로(Cicero)》 3세트 입니다. 아버지 책이었죠. 정말 놀라운 책입니다. 16세기 후반에 나온 책일 겁니다. 정확한 연도도 기억이 안 나네요. 이탤릭체를 고안해낸 것으로 유명한 베네치아 출판사인 알디네 출판사가 인쇄한 것입니다. 바티칸 도서관에 보관된 책이었는데 어찌하다가 시카고의 중고서점으로 흘러들었습니다. 거기서 가난한 학생이었던 아버지가 단돈 10달러를 주고 구입했죠. 당시에는 고서 시장이 지금처럼 제대로 형성되어있지 않았거든요.

소개하고 싶은 또 다른 책은 C. S. 루이스(C. S. Lewis)의 《마법사의 조카(The Magician's Nephew)》 초판입니다. 정말 어렸을 때 아주 푹 빠져서 읽었던 책입니다. 저의 소설은 이 책에서 많은 영향을 받았습니다. 친구가 이 책을 선물로 줬습니다. 가벼운 마음으로 주고받을 물건이 아닌데 말이죠. 책의 값어치가 대단하죠. 그렇다고 사양하기에는 너무 매력적인 책입니다. 그래서 집에 불이 나면, 이 책을 제일 먼저 들고 집을 뛰쳐나올 겁니다. 비상사태에 유용하게 사용될 마법이 책에 담겨 있을지도 모르잖아요.

현재의 책장은 무엇으로 만들어졌습니까? 그리고 어디서 구하셨나요?

이 집을 샀을 때, 책장 몇 개는 빌트인으로 제작했습니다. 나머지는 주문 제작입니다. 하지만 이 집에 맞춰서 제작한 책장은 아닙니다. 이혼하기 5년 전에 희귀도서 딜러였던 전부인과 함께 살던 아파트에 맞춰 제작한 것들입니다. 이렇게 저의 서재에는 유령처럼 과거의 기억이 남아있습니다. 재미있죠. 이 책장에는 현재 놓여있는 방이 아니라 과거 놓여있었던 방의 흔적과 기억이 고스란히 남아있습니다. 그래서 이 책장들은 지금 방과는 살짝 어울리지 않습니다. 그래서 정말 싫어요. 하루빨리 다른 책장으로 바꾸고 싶습니다.

소피와 서재를 따로 사용하시나요? 중복되는 책들은 어떻게 하시나요? 책을 어떻게 정리하시나요? 혹은 어떻게 정리하려고 노력하시나요? 책을 어떻게 찾으시나요? 책장에서 책을 쉽게 찾아내는 방법이 있나요? 알파벳순, 주제순, 크기순, 아니면 우연히? 다른 물건들도 책과 같은 방식으로 정리하시나요?

서재에는 우리 두 사람의 책이 마구 섞여 있습니다. 엄밀히 말해서 완전히 섞여 있지는 않습니다. 소피는 프린스턴 사무실에 독립적으로 컬렉션을 보관하고 있으니까요. 근데 전 우리 두 사람의 책이 한 데 섞였던 순간이야말로 우리 두 사람의 관계에서 가장 중요한 순간이었다고 생각합니다. 일단 책을 함께 보관하기 시작하면, 다시 완벽하게 내 책과 네 책을 분류해내는 것은 거의 불가능합니다. 물론 분리해서 보관할 수 있을 수 있지만, 완벽할 순 없죠. 그 많은 책 중에서 자기 책이 뭔지 정확하게 기억하고 찾아낼 수 없으니까요. 같은 책이 두 권 있으면, 누구의 책을 버리고 누구의 책을 보관할 것인가의 문제도 생기죠. 몇 번은 서로 자기 책을 버리지 않으려고 각을 세우기도 했습니다. 《다시 가본 브라이즈헤드(Brideshead Revisiteds)》과 《달러웨이 부인(Mrs. Dalloways)》 여러 권이 책장에 꽂혀있을 겁니다. 아마도 똑같은 제인 오스틴(Jane Austen)이 쓴 책도 많을 겁니다.

종종 예외도 있지만, 책들은 알파벳순으로 정렬되어 있습니다. 지나치게 크거나 정말 오래된 책들은 따로 보관하고 있습니다. 만화책들도 마찬가지입니다. 중간 중간 알파벳순서에 안 맞게 꽂혀있는 책도 있습니다. 서재에 순서에 안 맞게 무작위로 책 한두 권 꽂아두는 것도 좋다고 생각합니다. 알파벳순에 어긋난 책을 찾아 읽는 뜻밖의 즐거움도 있거든요.

공상과학, 판타지 그리고 기타 장르의 소설을 문학작품과 철저하게 분리해서 보관하지 않습니다. 소피와 저는 장르물도 아주 진지하게 읽고 다뤄야 할 분야라고 생각하죠. 이런 장르물들이 문학

소설과 별반 다르지 않다고 생각합니다. 이렇게 장르에 상관없이 책들을 정리하면, 블라디미르 나보코프(Vladimir Nabokov)와 래리 니븐(Larry Niven), 이언 뱅크스(Iain Banks)와 사무엘 베케트(Samuel Beckett), 풀먼(Pullman)과 포프(Pope) 그리고 헬렌 필딩(Helen Fielding)과 헨리 필딩(Henry Fielding) 등 아주 흥미로운 병렬구조가 생깁니다.

사진 속 책장에 없는 책들은 어떤 책들인가요? 요리책, 전화번호부, 음란물 등 책장이 아닌 다른 장소에 보관해두는 책이 있나요?

딸아이의 책은 전부 그 녀석의 방에 있습니다. 딸아이가 저희 서재에서 책을 꺼내 자기 방에서 읽고는 되돌려놓지 않는 경우가 아주 가끔 있습니다. 심지어 갓난쟁이도 자기 책이 있죠.

아, 그리고 소피와 제가 각자 직접 쓴 책들도 있네요. 제가 쓴 책을 책장에 꽂아두면 기분이 참 묘합니다. 순전히 독서의 즐거움을 위해 그 책을 책장에서 꺼내서 읽는 경우도 있습니다. 상상도 할 수 없는 상황이지만요. 지하실의 은밀한 장소에는 다른 언어로 번역된 우리 두 사람의 책들이 보관되어 있습니다. 크로아티아어로 번역된 《마법사들(The Magicians)》을 읽을 일은 절대 없겠지만, 그렇다고 내다버릴 수도 없잖아요.

지금까지 읽은 책들 중에서 직접 소장하고 있는 책들은 얼마나 되나요? 그리고 지금 소장하고 있는 책들 중에서 읽은 책들은 얼마나 되나요? 소장하고 있는 책을 친구들에게 빌려주나요?

가지고 있는 책의 대부분은 읽었습니다. 읽지 않은 책과 읽지 않을 책을 가지고 있는 게 무슨 의미가 있을까요? 존재의 목적에 맞는 서재를 가지는 것이 저의 꿈입니다. 서재에 보관된 책은 당연히 읽어야 합니다. 잘못된 정보를 바탕으로 충동적으로 구매한 책들도 있습니다. 가끔 서재에 그런 책들이 보이면, 흰머리 뽑듯이 서재에서 퇴출시킵니다.

정말 애착이 가는 책이라면, 설령 읽지 않았더라도 보관하는 경우도 있습니다. 예를 들면, 아버지의 《금지편(The Golden Bough)》 전집입니다. 축약판이 아니고 각 권에 참고문헌과 색인이 있는 12권으로 구성된 전집 말입니다. 이 전집을 읽는다는 것은 완전히 불가능한 일이죠. 그러나 버릴 수도 없습니다. 아버지가 갖고 계시던 조지프 콘래드(Joseph Conrad) 전집도 마찬가지입니다. 아버지와 저는 특별히 가까운 사이는 아니었습니다. 아버지는 한시라도 책을 손에 놓지 않으셨습니다. 마치 책을 읽기 위해서 사는 분 같았습니다. 이게 저와 아버지가 가깝게 지낼 수 없었던 이유 중 하나였을 겁니다. 아버지는 아직 살아계십니다. 그럼에도 제가 과거형으로 이야기하는 까닭은 아버지가 알츠하이머 말기로 더 이상 책을 읽을 수가 없기 때문입니다. 부모님이 제가 자란 집을 나올 때, 어머니는 아버지의 책을 모두 팔았습니다. 이는 마치 아버지의 뇌를 분해하고 망가뜨리는 것만 같았습니다. 지금 알츠하이머가 아버지에게 하는 것처럼 말입니다. 아버지의 책 전부를 구할 수는 없었지만, 다행히 그중 일부는 가져올 수 있었습니다.

독서가 저술활동에 어떤 영향을 주나요? 반대로 저술활동은 독서에 어떤 영향을 주고 있나요? 여러 장르 중에서 '단지 즐거움만을 주기위해 존재하는' 장르가 있다고 생각하나요? 가령, 비생산적이고 쓸모가 없지만 단순히 재미만 있는 책이 있다고 생각하나요? 책을 읽으면서 노트북, 포스트잇이나 노트에 메모를 하나요? 연필, 펜, 책갈피나 접착 메모지로 책에 표시를 하나요? 자료집, 요리책처럼 메모를 하거나 표시를 하는 책과 절대 외관을 훼손하지 않는 책이 따로 있나요?

글을 쓸 때는 집요하게 책을 읽습니다. 세상에는 두 부류의 작가가 있습니다. 글을 쓰는 동안 그칠 새 없이 책을 읽는 작가와 자신의 목소리가 파묻히거나 오염되지 않도록 다른 이가 쓴 책을 전혀 읽지 않는 작가입니다. 저는 첫 번째 부류에 속합니다. 글을 쓸 때 새하얀 페이지에서 길을 잃지 않도록 저에게 앞으로 나아갈 방향을 알려줄

항성이 필요합니다. 저에게는 다른 이의 책이 바로 그 항성입니다.

저는 책에 메모를 많이 합니다. 그렇다고 책의 여백에 적은 메모를 보며 감성에 젖지는 않습니다. 저는 전문 평론가입니다. 그래서 언젠가는 가치 있는 초판이 될지도 모르는 많은 책들에 거리낌 없이 저의 생각을 메모합니다.

물건을 모아두는 편인가요? 아니면 필요 없는 것은 그때그때 버리는 편인가요? 카세트테이프, LP판, CD 등 다른 매체도 소장하고 계신가요? 혹은 필요할 때 다운로드받고 삭제하나요? 보관하기 싫은 책은 어떻게 처리하시나요? 기부하거나 재활용하거나 누가 가져가도록 길에 내놓나요? 다 읽은 책을 버린다거나 해져서 너덜너덜해진 책을 대신할 새 책을 살 때 당신만의 금기사항이 있나요?

필요 없는 물건을 쌓아두는 사람이 아닙니다. 필요 없거나 안 쓰는 물건을 그때그때 버리는 편입니다. 하지만 책은 예외입니다. 냉담하게 물건을 버리지만 책을 버리는 것은 정말 싫습니다. 소위 나쁜 책들이 끊임없이 쏟아지죠. 그리고 저 또한 이런 나쁜 책들을 많이 읽었습니다. 그렇다고 나쁜 책들을 무자비하게 버리는 것이 맞을까요? 아니면 소중한 공간을 차지하도록 내버려둔 채 평생 가지고 있는 것이 옳을까요? 전 소위 나쁜 책들은 길가에 내놓습니다. 그러고는 누가 그

책들을 언제 가져가나 고양이처럼 숨어서 지켜보죠.

지금으로부터 5년, 10년 그리고 20년 뒤 서재가 어떤 모습일지 생각해보셨어요? 종이와 풀로 만들어진 물건 그러니까 종이책이 남아있을까요? 끔찍한 질문을 해서 죄송한데, 사후에 서재에 어떤 일이 벌어질지 생각해보셨나요? 분위기를 바꿔서, 새로 태어난 딸을 위해서 서재를 만들고 있다고 하셨습니다. 어린 딸이 책을 읽을 만큼 자랐을 때, 서재에 있는 책들이 여전히 의미 있고 유용할까요?

그 오랜 세월이 지나도 저의 서재는 지금과 같은 모습일 것 같습니다. 아마도 전처와 함께 사용했던 책장은 버리고 새로 책장을 만들었을지도 모르겠네요. W, X, Y, 그리고 Z로 시작하는 제목의 책들은 아직 상당수가 상자에 보관되어 있습니다. 제가 죽고 난 뒤의 서재에 대해서는 생각해본 적이 거의 없네요. 정말 비싼 책을 제외하고 나머지 책들은 여기저기 떠돌다가 썩어서 사라지지 않을까 싶네요. 정말 비싸고 값어치가 있는 책은 다른 누군가의 컬렉션이 되겠죠.

　　제가 했던 것처럼, 저의 딸들이 제 책의 일부를 보관했으면 좋겠습니다. 제가 가지고 있던 책 중에서 몇 권은 벌써 제 큰 딸의 컬렉션이 되었습니다. 좋은 조짐이죠. 저의 아버지에게는 자신의 부모님이 읽던 책이 없었습니다. 조금 슬픈 일이죠. 이런 슬픈 일이 반복

되는 것을 원치 않습니다. 저의 할아버지는 자동차 판매원이셨습니다. 책을 곁에 두고 읽는 분이 아니셨죠. 제가 가지고 있는 할아버지의 유품은 자수가 놓인 수건 두 장입니다. 솔직히 좋은 수건이기는 합니다만, 이것밖에 없다는 사실이 슬픕니다.

레브 그로스만이 선정한 10권의 인생 도서

에블린 워, 《브라이즈헤드 재방문(Brideshead Revisited)》

알두스 마누티누스, 《키케로(Cicero)》

더글라스 호프스태터, 《괴델, 에서, 바흐: 영원한 황금 노끈(Godel, Escher, Bach: An Eternal Golden Braid)》

C. S. 루이스, 《사자, 마녀 그리고 옷장(The Lion, the Witch, and the Wardrobe)》

C. S. 루이스, 《마법사의 조카(The Magician's Nephew)》

버지니아 울프, 《달러웨이 부인(Mrs. Dalloway)》

데어드레이 베어, 《사무엘 베케트(Samuel Beckett)》

소피 지이, 《그 계절의 스캔트(The Scandal of the Season)》

T. H. 화이트, 《바위에 박힌 검(The Sword in the Stone)》

알랜 무어, 《파수꾼(Watchmen)》

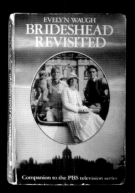

EVELYN WAUGH
BRIDESHEAD REVISITED

Companion to the PBS television series

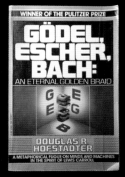

WINNER OF THE PULITZER PRIZE
GÖDEL, ESCHER, BACH:
AN ETERNAL GOLDEN BRAID

DOUGLAS R. HOFSTADTER

A METAPHORICAL FUGUE ON MINDS AND MACHINES
IN THE SPIRIT OF LEWIS CARROLL

THE LION, THE WITCH
AND THE WARDROBE

BOOK 1 IN THE CHRONICLES OF NARNIA

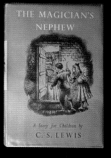

THE MAGICIAN'S
NEPHEW

A Story for Children by
C. S. LEWIS

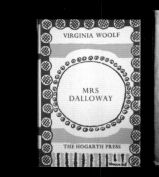

VIRGINIA WOOLF

MRS
DALLOWAY

THE HOGARTH PRESS

THE SCANDAL
of the SEASON

SOPHIE GEE

WATCHMEN

소피 지이의
서재

리아 프라이스: 컬렉션은 몇 년도까지 거슬러 올라가나요? 지금 소장하고 있는 책 중에서 언제 구입한 책이 가장 오래되었나요? 몇 살 때부터 책을 구매하기 시작했나요? 이사를 할 때 가지고 온 책과 버린 책은 각각 어떤 것들인가요? 어떤 시기에 읽었던 책이 가장 중요한가요? 독서를 관둔 시기가 있나요?

소피 지이: 어린 시절로 거슬러 올라갑니다. 전 아직도 《개미와 벌(Ant and Bee)》 시리즈를 가지고 있어요. 이제 절판돼서 다시 구할 수가 없는 책들이죠. 어렸을 때 읽었던 책들 대다수는 호주에 있습니다. 이렇게 큰 집에 살게 되서 좋은 점이 있습니다. 책을 한 곳에 가지런히 정리할 수 있다는 것입니다. 성인이 되어서 처음 가지게 된 책은 《오만과 편견(Pride and Prejudice)》이었습니다. 20살 생일선물로 부모님이 붉은 천으로 양장된 《오만과 편견(Pride and Prejudice)》을 주셨습니다. 청소년일 때부터 생일과 크리스마스에 선물로 받은 도서 상품권으로 책을 샀습니다. 지난 몇 년에 걸쳐 가지고 있던 현대소설을 많이 버렸습니다. 자연스럽게 '고전소설'이라 불리는 책들은 남더군요. 책을 읽고 소유하는 것은 어린아이였던 저에게 굉장히 중요했습니다. 책은 제가 가지고 있는 것들 중에서 가장 큰 의미를 지니는 물건이었고, 저의 어린 시절을 완벽하게 정의하는 것이었죠. 대학원생과 주니

어 교수였을 때 샀던 책들도 중요합니다. 제가 지식을 쌓고 미국에 정착하려고 어떤 노력을 했는지를 이 책들이 그대로 보여줍니다. 책을 한 장소에서 다른 장소로 옮긴다는 것은 아주 큰일이죠. 그래서 책을 사기 시작했다는 것은 그곳에 정착하겠다고 결심했다는 의미이기도 합니다.

인생 도서에 대해 이야기를 해보죠. 이 중에서 가장 중요한 책은 무엇인가요? 집에서 멀리 떠나있을 때 가장 그리운 책이 있나요? 집에 불이 났다면, 집에서 제일 먼저 가지고 나올 책은 무엇이고 그 책을 선택한 이유는 무엇인가요?

《엠마(Emma)》와 《오만과 편견(Pride and Prejudice)》은 처음으로 애착을 가지게 된 책들입니다. 제일 좋아하는 책들이죠. 《엠마(Emma)》는 학자와 비평가로서 그리고 팬으로서 만족감을 느끼게 해준 책이라서 선택했습니다. 그리고 이 책은 저에게 특별히 소중한 이유가 있습니다. 이 책을 고등학교 영어수업에서 1등 상품으로 받았습니다. 당시 저에게는 아주 의미 있는 상이었습니다. 이 책을 상으로 받으면서 계속 열정적으로 책을 읽고 글을 쓸 수 있는 힘을 얻을 수 있었습니다.

《엠마(Emma)》와 비슷한 이유에서 《미들마치(Middlemarch)》를 선택했습니다. 아주 흥미롭게도 지방도시에서의 삶을 보여주는 《미들마치(Middlemarch)》는 제인 오스틴(Jane Austen)의 소설에 등장하는 '마을'에 영향을 받고 이를 바탕으로 쓰였습니다.

《실낙원》은 제가 선택한 또 다른 세계적인 고전입니다. 이 책을 읽을 때마다 제가 받은 교육에 깊이 감사합니다. 영어학 박사학위가 없었다면 존 밀턴(John Milton)의 시를 이해하는 것은 고사하고 지금처럼 즐기지도 못했을 겁니다.

다른 책들은 보다 개인적인 이유에서 선택했습니다. 《머리타래의 강탈(The Rape of the Lock)》은 저의 첫 번째 소설인 《그 계절의 스캔들(The Scandal of the Season)》의 영감이 되었던 책입니다. 《머리타래의 강탈(The Rape of the Lock)》은 희극을 영미 문학의 중요한 장르로 정립시킨 단편 소설이라 할 수 있습니다(100년이 지난 뒤에 제인 오스틴이 희극을 완성했습니다). T. H. 화이트(T. H. White)와 러디어드 키플링(Rudyard Kipling)은 제가 어렸을 때 제일 좋아했던 작가들입니다. 《더 컴플리트 스토키 앤드 코(Stalky and Co.)》의 배경은 기숙학교입니다. 당시 러디어드 키플링의 문제적 정치학에 대해 아무것도 알지 못했던 저는 그의 책에 완전히 빠졌습니다. 그리고 T. H. 화이트는 아서왕의 이야기를 현대적으로 각색한 책을 썼습니다. 레브와 저는 둘 다

이 책의 열렬한 팬입니다. 바바라 핌(Barbara Pym)의 《훌륭한 여인들(Excellent Women)》도 20세기 영미 소설 중에서 알려지지 않은 위대한 걸작 중 하나입니다. 이 책도 단편 소설입니다. 필립 라킨(Philip Larkin)의 《산문집(Required Writing)》은 예비 소설가들에 유익한 책입니다. 희극에 계속 관심을 가지는 까닭은 에블린 워(Evelyn Waugh)와 킹슬리 에이미스(Kingsley Amis) 때문입니다. 만약 인생 도서 11권을 꼽으라고 했다면, 레브의 새로운 소설 《마법사 왕(The Magician King)》을 11번째 책으로 선택했을 겁니다. 레브는 훌륭한 작가입니다. 그에게서 글쓰기에 대해 많이 배웠지요. 《마법사 왕(The Magician King)》은 레브가 저와 함께 살면서 쓴 첫 번째 소설입니다. 우리 두 사람은 이 책의 초고를 두고 많은 이야기를 나눴고 함께 고민했습니다. 이때 서로에 대해 많은 것을 알게 되었죠. 둘 다 작가가 아니었다면 불가능했을 일이죠. 작가가 가장 취약한 상태일 때 나오는 것이 초고입니다. 이 초고에는 작가의 순수한 아이디어와 충동적인 생각들이 생생하게 존재합니다.

소설작가이자 평론가시죠. 분명 두 직업이 서로 영향을 주고받을 것 같은데요. 소설과 평론을 읽거나 대할 때 마음가짐이 달라지나요? 가량 소설보다는 평론에 주석을 더 많이 단다든가 또는 평론은 직접 구입하고 소설은 도서관에서 빌린다든가 말이죠. 둘 중에서 더 애정을 갖고 대하는 장르가 있나요? 사무실에는 소설책을, 집에는 평론책을 두는 등 두 장르의 책을 다른 장소에 분리해서 보관하시나요?

항상 가지고 다니는 몇 권을 제외하고 평론책은 대체로 사무실에 두고 읽습니다. 레브와 브루클린에 정착하기 전에 이사를 많이 다녔습니다. 그래서인지 저의 책 대부분은 아직도 프린스턴 사무실에 있습니다. 어딘가에 완전히 정착하기 전까지 이 책들을 영원히 보관해둘 장소가 필요했거든요. 그게 프린스턴 사무실이었던 거죠.

레브와 서재를 따로 사용하시나요? 중복되는 책들은 어떻게 하시나요?

서재를 함께 사용하고 있습니다. 그래도 우리는 어디서 어디까지가 자신의 책이고 상대방의 책인지를 알고 있죠. 그 책을 읽을 당시의 기억을 고스란히 간직하고 있기 때문이죠. 왜 그 책을 보관하기로 결정했는지, 그 책을 읽던 시기에 뭐가 중요했는지 그리고 어떤 방법으로 그 책을 읽었는지를 생생하게 기억하고 있는 거죠. 어찌 보면 각자 자신의 책과 연애를 하고 있는 셈이죠.

사진 속 책장에 꽂혀있지 않은 책들이 있죠? 어떤 책들인가요? 부엌, 욕실 그리고 침대 옆 탁자에는 어떤 책을 두고 읽나요?

아주 중요한 질문입니다(레브에게도 마찬가지였겠죠). 사진에 나와 있는 책장에는 요리책이 없습니다. 하지만 요리책은 저희 두 사람에게 아주 중요합니다. 지금 당장이라도 요리책 톱10을 꼽으라면 꼽을 수 있습니다. 요리책만 꽂혀있는 책장이 따로 있을 정도니까요. 부엌의 스토브 위 선반에 가장 많이 사용하는 요리책들이 꽂혀있습니다. 부엌에서 없어서는 안 되는 것들이죠. 요리는 레브와 함께 하는 저의 삶에서 중요한 부분을 차지하니

다. 그리고 바다 건너에 살고 있는 저의 동생 헤리엇과의 관계에서도 중요하죠. 우리는 서로 매주 어떤 요리를 했는지 이야기하고 레시피를 교환합니다. 심지어 요리 사진을 주고받기도 합니다.

지금까지 읽은 책들 중에서 직접 소장하고 있는 책들은 얼마나 되나요? 반대로 지금 소장하고 있는 책들 중에서 읽은 책들은 얼마나 되나요?

다 읽었거나 거의 다 읽은 책만 책장에 꽂아둔다는 규칙이 있었습니다. 대학원을 다닐 때, 이 규칙을 철저히 고수했습니다. 정말 다 읽었거나 거의 다 읽은 책만 책장에 꽂아뒀죠. 덕분에 책장에 꽂힌 책들과 강렬하고 친밀한 관계를 맺을 수 있었습니다. 최근에 와서야 아직 읽지 않았지만 꼭 소장해야 하고 언젠가는 읽을 것 같은 책 몇 권을 책장에 두기 시작했습니다. 예를 들면, 루도비코 아리오스토(Ludovico Ariosto)의 《광란의 오를란도(Orlando Furioso)》가 있죠. 마르틴 하이데거(Martin Heidegger)의 《존재와 시간(Being and Time)》도 있습니다(과연 제가 이 책을 정말 읽을까요? 글쎄요).

물건을 모아두는 편인가요? 아니면 필요 없는 것은 그때그때 버리는 편인가요? 카세트테이프, LP판, CD 등 다른 매체도 소장하고 계신가요? 아니면 필요할 때 다운로드받고 삭제하나요? 보관하기 싫은 책은 어떻게 처리하시나요? 기부하거나 재활용하거나 길에 내놓나요? 다 읽은 책을 버린다거나 해져서 너덜너덜해진 책을 대신할 새 책을 살 때 금기사항이 있나요?

두 가지 성향을 모두 가지고 있는 것 같습니다. 물건에 대한 애착이 강한 편입니다. 설사가 확 쏟아지듯이 필요 없는 물건을 전부 내다버리고 싶은 충동을 강하게 느낄 때도 있습니다(속죄하고 싶은 충동이랑 비슷한 거랄까요?). 아무튼 중요하지 않은 물건이 공간을 차지하는 것이 싫습니다. 그래서 많은 책들이 우리 집을 거쳐 갔죠. 레브와 동거를 시작했을 때, 각자의 서재에 더 이상 필요 없거나 읽지 않을 책을 골라서 스트랜드 북스토어에 갖다 줬습니다. 요즘은 치울 책들은 작은 현관 앞에 내놓습니다. 그러면 어김없이 몇 시간 뒤에 누군가가 그 책들을 가지고 가더군요. 저는 아직도 친환경 세제에 관한 커다란 판형의 책을 가져간 사람이 누구인지 그리고 그 책으로 지금 무엇을 하는지 궁금합니다.

소피 지이가 선정한 10권의 인생 도서

러디어드 키플링, 《더 컴플리트 스토키 앤드 코(The Complete Stalky and Co.)》

에블린 워, 《쇠퇴와 퇴락(Decline and Fall Handful of Dust)》

제인 오스틴, 《엠마(Emma)》

바바라 핌, 《훌륭한 여인들(Excellent Women)》

킹슬리 에이미스, 《럭키 짐(Luchy Jim)》

조지 엘리엇, 《미들마치(Middlemarch)》

T. H. 화이트, 《과거와 현재의 왕(The Once and Future King)》

존 밀튼, 《실낙원(Paradise Lost)》

알렉산더 포프, 《머리타래의 강탈(The Rape of the Lock)》

필립 라킨, 《산문집(Required Writing: Miscellaneous Pieces, 1955-1982)》

RUDYARD KIPLING
THE COMPLETE STALKY & CO.

A
HANDFUL
OF DUST

EVELYN
WAUGH

DECLINE
AND FALL

A Laurel Edition

The Oxford Illustrated
Jane Austen

EMMA

BARBARA PYM
Excellent Women

PENGUIN CLASSICS
GEORGE ELIOT
MIDDLEMARCH

KINGSLEY AMIS
Lucky Jim

THE
ONCE
AND
FUTURE
KING

T. H. WHITE

A BERKLEY MEDALLION BOOK
published by
BERKLEY PUBLISHING CORPORATION

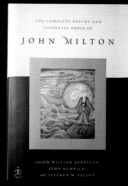

THE COMPLETE POETRY AND
ESSENTIAL PROSE OF

JOHN MILTON

Edited by WILLIAM KERRIGAN,
JOHN RUMRICH,
and STEPHEN M. FALLON

The Twickenham Edition of the
POEMS OF ALEXANDER POPE
General Editor JOHN BUTT

THE
RAPE OF THE LOCK
WITH TRANSLATIONS FROM CHAUCER, THE TEMPLE
OF FAME, ELOISA TO ABELARD, and THE
ELEGY TO THE MEMORY OF AN
UNFORTUNATE LADY

Edited by
GEOFFREY TILLOTSON

LONDON : METHUEN

PHILIP LARKIN
REQUIRED WRITING
Miscellaneous Pieces 1955-1982

An Anthology of French Poetry from Nerval to Valery in English Translation

NEWTON

Les filles du feu

Edited by Linell Nash Smith

THE BEST OF OGDEN NASH

Ivan R. Dee

JONATHAN FRANZEN

THE CORRECTIONS

PICADOR

C.S. LEWIS · THE VOYAGE OF THE DAWN TREADER

PHILIP PULLMAN · THE GOLDEN COMPASS

FRIEDRICH NIETZSCHE · WILL TO POWER

Edited by Walter Kaufmann

VINTAGE V-437

WORLD OF PTAVVS · Larry Niven

A WORLD OUT OF TIME · Larry Niven

DEL REY

LARRY NIVEN · Destiny's Road

TOR

LARRY NIVEN AND STEVEN BARNES

DEL REY

THE BARSOOM PROJECT

THE BARSOOM PROJECT · LARRY NIVEN JERRY POURNELLE

OATH OF FEALTY · LARRY NIVEN JERRY POURNELLE

NIVEN POURNELLE · THE GRIPPING HAND

The Fortress of Solitude — JONATHAN LETHEM — DOUBLEDAY

The History of Magic by Eliphas Lévi — A.E. WAITE

LÉVI — THE HISTORY OF MAGIC — WEISER

Michael Lewis — LIAR'S POKER — Penguin

PRINCE CASPIAN — The Return to Narnia — by C. S. LEWIS

C.S. LEWIS — PRINCE CASPIAN

C.S. LEWIS — THE MAGICIAN'S NEPHEW

C.S. LEWIS — THE LAST BATTLE

C.S. LEWIS — THE HORSE AND HIS BOY

C.S. LEWIS — THE SILVER CHAIR

WYNDHAM LEWIS — TARR — THE 1918 VERSION — BLACK SPARROW PRESS

LERMONTOV — A Hero of Our Time — Ardis

THE
MINGWAY
READER

with a Foreword
and Brief Prefaces
CHARLES POORE

SCRIBNERS

NEXT

JAMES HYNES

REAGAN
ARTHUR
LITTLE,
BROWN

god is not Great

How Religion Poisons Everything

Christopher Hitchens

TWELVE

Life in Lexington 1946-1995

by Alice Hinkle and Andrea Cleghorn

METAMAGICAL THEMAS

DOUGLAS R. HOFSTADTER

Basic Books

SMILLA'S SENSE OF SNOW

FSG

MICHEL HOUELLEBECQ

H. P. LOVECRAFT: AGAINST THE WORLD, AGAINST LIFE

SCRIBNER

Ernest Hemingway

A Moveable Feast

HOMER

THE ODYSSEY

EVERYMAN'S LIBRARY

HOMER

THE ILIAD

EVERYMAN'S LIBRARY

THE ILIAD

Translated by Robert Fitzgerald

HOMER

THE ILIAD

Robert Fagles
Bernard Knox

HOMER

ISBN 0 14
02.7589 3

Running with Scissors

AUGUSTEN
BURROUGHS

ST. MARTIN'S
PRESS

EDITED BY
OLIVER HARRIS

THE LETTERS OF WILLIAM S. BURROUGHS 1945-1959

VIKING

WILLIAM S. BURROUGHS

EXTERMINATOR!

ISBN 0 14
00 5403 5

WILLIAM S. BURROUGHS

QUEER

ISBN 0 14
00.8389 9

WILLIAM S. BURROUGHS

JUNKY

ISBN 0.14 00.435 9

STEPHEN BURT

POPULAR MUSIC

CLP / COLORADO

STEPHEN BURT

PARALLEL PLAY

GRAYWOLF

STEPHEN BURT

ROBERT BURTON
THE ANATOMY OF MELANCHOLY

nyrb

INTERFACE · STEPHEN BURY

THE GAME

BYATT

VINTAGE

POSSESSION

BYATT

VINTAGE

Ware

Ada Byron Lovelace: The Lady and the Computer

The Road to Oxiana

BYRON

COLLINS

MOCKINGJAY

SCHOLASTIC
PRESS

OXFORD

THE OXFORD
AUTHORS

BYRON

OXFORD

조나단
레덤

_ Jonathan Lethem

조나단 레덤의
서재

리아 프라이스: 컬렉션은 몇 년도까지 거슬러 올라가나요?

조나단 레덤: 아주 어릴 때부터 방에 책이 있었습니다. 그때 있던 책이 아직도 있어요. 《이상한 나라의 앨리스(Alice in Wonderland)》와 《거울나라의 앨리스(Through the Looking Glass)》입니다. 두 권 모두 어머니의 책입니다. 전시에 출판된 낡은 노란색 표지의 책이지만 그 안은 화려하죠. 각 페이지에는 붉은 색 테두리 안에 영국의 삽화가인 테뉘엘의 삽화가 그려져 있습니다. 뚱한 프랑스 어린이들이 등장하는 《집 없는 아이(Sans Famille)》도 가지고 있습니다. 이 아동소설은 길을 가다가 강아지들과 원숭이를 만나 거리 악사가 되는 고아에 대한 이야기입니다. 슬프게도 강아지들이 차례로 죽죠.

12살인가 13살부터 헌책방을 번질나게 드나들기 시작했습니다. 브룩클린 시내에 있는 헌책방은 좋은 책들로 가득했습니다. 존재했는지 존재하지 않았는지도 정확하지 않은 나날들을 기억하는 고서 전문가들이 운영하는 이끼가 낀 낡은 책방들이었습니다. 열정적인 젊은이들이 운영하던 바보 같지만 밝은 분위기의 작은 책방들도 있었습니다. 예를 들면, 플랫부시 가의 세컨 핸드 프로스와 애트랜틱의 브라젠 헤드와 같은 곳들입니다. 14살 때 브라젠 헤드의 책을 열렬히 사랑하던 어리석은 젊은이였던 마이클 세이덴버그(Michael Seidenberg)와 평생 친구가 되었고 그의 헌책방에서 잠깐 일도 했습니다. 그리고 이곳에서 고서 서적상이란 커리어도 쌓았습니다. 이것이 글을 쓰는 작가가 되기 전에 제가 가졌던 유일한 직업이었다고 할 수 있습니다. 임금을 책으로 받아오는 경우도 많았습니다.

이제 인생 도서에 대해서 이야기해주시겠어요?

사랑스럽고 이상하고 예측 불가한 책들을 골랐습니다. 이것들은 책 표지를 보고 그 책을 펼쳤을 때 제가 느꼈던 감정들입니다. 전부 운명적으로 끌렸던 책들입니다. 책을 사냥하는 사냥꾼으로서 저는 항상 아름답고 기이한 책에 매혹됩니다. 이 책들이 저의 생각과 취향을 바꿔놓았고 저에게 새로운 가능성을 열어줬습니다.

아직 읽지 않은 책들도 있습니다. 언제가 반드시 읽고 싶은 책들입니다(어느 책을 안 읽었는지는 말하지 않겠습니다). 가끔 사람들은 읽지 않은 책을 소장하는 것이 위선이나 가식이라고 말합니다. 아직 읽지 않은 책은 당신에게 자신의 모든 것을 바치지 않은 미지의 존재죠. 이 존재는 달콤한 미스터리와 뭔가 새로운 것을 잉태할 가능성을 품고 있습니다. 때때로 저는 읽지 않은 책의 내용을 상상하면서 가장 큰 영감을 받습니다.

《어 가이드 포 더 언디헤모로이디드(A Guide for the Undehemorrhoided)》와 《록앤롤 일어서다(Rock and Roll Will Stand)》처럼 생

소한 제목의 책들도 있을 겁니다. 잘 안다고 자신했던 작가의 한 번도 들어보지 못한 책들이 있죠. 이게 바로 그런 책들입니다. 말하자면 작가가 쓴 책들 속에 꽁꽁 숨겨진 책인 거죠. 절판되고 별나고 뭔가 미심쩍은 책에 몰입하는 경향이 있습니다. 저와 이런 책 사이에 생기는 은밀한 친밀감이 좋습니다. 그리고 덜 알려진 작가나 잘 알려진 작가의 덜 알려진 책에서 더 편안함을 느낍니다. 가령 《율리시스(Ulysses)》나 《모비딕(Moby-Dick)》을 읽어야 한다면, 범상치 않은 편집본을 찾아 읽겠습니다.

책장에 대해서 이야기를 해봅시다. 당신의 책장은 무엇으로 만들어졌나요? 그리고 어떻게 구하셨죠?

책장에 관한한 미적 감각이 없습니다. 그래도 빌트인 책장에 대해선 이야기하고 싶네요. 사진에 찍힌 책장은 주문 제작한 것입니다. 물질주의자의 평생의 꿈 또는 페티시가 절정에 이른 것이죠. 150년 된 농장의 목조 가구와 어울리도록 반들반들하게 페인트를 칠한 원목 책장입니다. 앞면이 유리로 된 캐비닛도 좋았을 것 같습니다. 하지만 그런 캐비닛으로 가득찬 방을 살 여유가 없었습니다. 그리고 나이 들어서 유리 캐비닛 책장은 위험할 수 있다고 생각했습니다. 아이였을 때, 저의 책장은 벽돌, 우유 나무상자, 다른 책들 그리고 아버지

의 작업장에서 가져온 목재 조각으로 만든 복잡하고 비실용적인 구조였습니다. 물론 흔들거려서 위태로웠죠.

책을 어떻게 정리하나요? 아니면 어떻게 정리하려고 노력하시나요? 필요한 책을 책장에서 어떻게 찾나요? 음반을 정리하는 방식도 책을 정리하는 방식과 유사한가요?

책을 정리하고 또 정리합니다. 알파벳순으로 정리했다가 다시 장르, 주제, 크기, 색깔 그리고 출판사를 기준으로 정리했다가 다시 또 알파벳순으로 정리하기를 반복합니다. 작은 책 옆에 더 큰 책이 꽂혀있는 것을 두고 볼 수가 없습니다. 그런데 어떤 출판사의 책들은 한 장소에 꽂아두면 너무 예쁩니다. 함께 꽂아두면 책등들이 훌륭한 장식품이 되죠. 그래서 책장의 어느 구역에는 그 출판사의 책들만 꽂혀있습니다. 이렇게 하다보면 알파벳순서에 맞지 않게 꽂힌 책이 나오기도 합니다. 반면 영화와 음악에 관한 책들은 주제별로 정리합니다. 오손 웰즈(Orson Welles)의 작품 옆에 그의 작품을 평론한 제임스 나레모어(James Naremore)의 책을 꽂아둡니다. 이렇게 하다보면 '웰즈/나레모어/큐브릭' 또는 '딜런/그레일 마르쿠스/엘비스/피터 구랄닉/ 멤비스 소울'과 같은 이상한 조합이 연속적으로 생기기도 합니다.

음반은 모 아니면 도입니다. 혼란스럽게 막 꽂혀있거나 엄격하게 알파벳순서대로 꽂혀있습니다. 그 중간은 없습니다. 요즘은 혼란스럽게 정리되어 있네요. 음반을 알파벳순서로 정리하다보면, 책을 알파벳순서로 정리할 때는 생각하지도 못한 문제가 발생합니다. 가령 엘엘 쿨 제이(LL Cool J)의 음반은 어디에 둬야 할까요? 엠씨 900 피드 지저스(MC 900 Ft. Jesus)는요? 리틀 월터(Little Walter)는 어떻게 하죠? 빅 월터(Big Walter)옆에 둬야 할까요? 아니면 알파벳순서에 따라 정리해야 할까요?

여태 읽었던 책들 중에서 몇 권의 책을 가지고 있나요? 책을 친구들에게 빌려주기도 하시나요?

읽지 않은 책들도 많이 가지고 있습니다. 그중에는 뭔가 알차고 아름답다는 생각이 들고 언제가 읽겠지 싶은 책들이 있습니다. 그리고 뭔가 내용도 알차고 예쁜데 굳이 읽지 않더라도 상관없다 싶은 책들도 있습니다. 좋아하는 책은 다양한 편집본으로 추가적으로 구입합니다. 책을 빌려주거나 빌리는 것을 좋아하지 않습니다. 어떤 책을 읽기를 원한다면, 그냥 그 책에 대해서 이야기하거나 대놓고 그 책을 사주는 것이 좋을 겁니다. 전 누군가 빌려준 책들을 집 한 구석에 처박아둡니다. 책을 빌려주기보다는 책을 한 권 더 사서 줍니다. 이

것은 제게 좋아하는 책을 또 산다는 즐거움이 됩니다.

오디오북을 듣습니까? 큰 소리로 책을 읽는 것을 좋아하나요? 아니면 누군가가 큰 소리로 읽어주는 책을 듣는 것을 좋아하나요?

누군가가 큰 소리로 읽어주는 책을 들어볼 기회가 전혀 없었습니다. 저는 아이에게 책을 읽어주는 것을 좋아합니다. 제대로 된 강당에 모인 사람들에게 책을 읽어주는 것도 좋아합니다. 하지만 사랑하는 사람과 함께 했던 한 두 번의 달콤한 순간을 빼고 누군가가 읽어주는 책을 듣겠다고 가만히 앉아 있었던 적은 없습니다. 전 위선자입니다. 솔직히 낭독회에 참석하는 것도 싫습니다.

지금으로부터 5년, 10년 그리고 20년 뒤 서재가 어떤 모습일지 생각해보셨어요? 종이와 풀로 만들어진 물건 그러니까 종이책이 그대로 남아있을까요? 끔찍한 질문을 해서 죄송한데, 사후에 당신의 서재에 어떤 일이 벌어질지 생각해보셨나요?

이제 거의 반백 살입니다. 지금에 와서 제 서재가 바뀔 것 같지는 않네요. 더 커지거나 작아지거나 하겠죠. 오래된 자동차처럼 가끔 손은 봐줘야겠죠. 끊임없이 제가 죽고 난 다음에 이 책들이 어디로 갈

조나단 레덤이 선정한 10권의 인생 도서

플란 오브라이언, 《헤엄치는 두 마리 새(At Swim-Two-Birds)》

콜린 맥클네스, 《검둥이들의 도시(City of Spades)》

찰스 윌포드, 《투계꾼(Cockfighter)》

마거릿 밀러, 《악마 같은 사람(The Fiend)》

크리스티나 스테드, 《오로지 사랑을 위해(For Love Alone)》

찰스 윌포드, 《어 가이드 포 디 언디헤모로이디드(A Guide for the Undehemorrhoided)》

블라디미르 나보코프, 《롤리타(Lolita)》

윌슨 터커, 《길고 시끄러운 침묵(The Long Loud Silence)》

그레일 마르쿠스, 《록앤롤 일어서다(Rock and Roll Will Stand)》

엘리아스 카네티, 《바벨탑(The Tower of Babel)》

FLANN O'BRIEN

At SWIM -TWO- Birds

A BOOK IN A THOUSAND
IN THE LINE OF ULYSSES
AND TRISTRAM SHANDY.
GRAHAM GREENE

PANTHEON

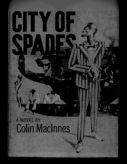

CITY OF SPADES

A NOVEL BY
Colin MacInnes

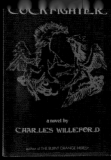

COCKFIGHTER

a novel by
CHARLES WILLEFORD

author of THE BURNT ORANGE HERESY

THE FIEND

MARGARET MILLAR

IN THE AUTHOR OF
HOW LIKE AN ANGEL AND STRANGER IN MY GRAVE

For Love Alone

CHRISTINA STEAD

CHARLES

A Guide for the Underhemorrhoided

WILLEFORD

VLADIMIR-NABOKOV

LOLITA

VOLUME I

olympia press

by Wilson Tucker

the Long Loud Silence

ROCK AND ROLL WILL STAND

EDITED BY GREIL MARCUS

The Tower of Babel

BY
Elias Canetti

TRANSLATED BY C. V. Wedgwood

TWITCHELL / ROSS

WHERE MEN HIDE

COLUMBIA

FKA

THE METAMORPHOSIS

KUPER

CROWN

STURM

GOLEM'S MIGHTY SWING

DRAWN AND QUARTERLY PUBLICATIONS

IMPORTANT ARTIFACTS AND...

Leanne Shapton

THECOMICSJOURNALLIBRARYTHEWRITERS

SARAH CRICHTON BOOKS ☷ FSG

6

THE FART PARTY BY JULIA WERTZ

THE ART OF THE POSSIBLE

the Masochists

JOE MATT

THE POOR BASTARD

BY KENNETH KOCH

D & Q

2. Baronet

A CONTRACT WITH GOD

Will Eisner

ISBN 0-89437-035-9 $4.95

HOLT

Barnaby

CROCKETT JOHNSON

PAUL HORNSCHEMEIER

THE COLLECTED Sequential

house BOOKS

0-87816
-243-7

...STANDING COMICS

SCOTT McCLOUD

KITCHEN

READING THE FUNNIES

DONALD PHELPS

BLDG
BLOG
BOOK

MANAUGH

Chapter 1:
Architectural
Conjecture,
Urban
Speculation
p.9

Chapter 2:
The
Underground
p.51

Chapter 3:
Redesigning
The Sky
p.117

Chapter 4:
Music
Sound
Noise
p.141

Chapter 5:
Landscape
Futures
p.187

THE DICTIONARY OF ACCEPTED IDEAS

Gustave Flaubert

NDP230

60

YETI SEVEN

WOODENSHIPS
Jim woodring
lynne elliman
duchess & the duke
CRYSTAL STILTS
rudy wurlitzer
AGNES JAY
grouper
JOE BRAINARD
DUM DUM GIRLS
zola jesus
NO CITIES
NO DRUGS

DUTTON

Pat Barker

REGENERATION

Koppett's Concise
History of Major League Baseball

TEMPLE

Bob Dylan

ENCYCLOPEDIA

continuum

GALATEA — JAMES M. CAIN — PORZOI BOOKS

TWO NOVELS BY JAMES M. CAIN — THE EMBEZZLER / DOUBLE INDEMNITY — 152 TRIANGLE BOOKS

CAIN — THE LISTING

HERMIT IN PARIS — Autobiographical Writings — Italo Calvino — PANTHEON

The Dispossessed — DON CARPENTER

TURNAROUND — SIMON AND SCHUSTER — DON CARPENTER

CANETTI — The Human Province — Seabury

THE SECRET HEART OF THE CLOCK — ELIAS CANETTI — FARRAR STRAUS GIROUX

KRAZY KAT — JAY CANTOR — KNOPF

THE CLASS OF 49 — Don Carpenter

The Murder of the Frogs — Don Carpenter — Harcourt, Brace & World

BLADE OF LIGHT — Don Carpenter — Harcourt, Brace & World

JONATHAN CARROLL

The Marriage of Sticks

the WOODEN SEA — JONATHAN CARROLL

MICHAEL CHABON — WEREWOLVES IN THEIR YOUTH

클레어 메수드
& 제임스 우드

_ Claire Messud & James Wood

클레어 메수드의
서재

리아 프라이스 : 컬렉션은 몇 년도까지 거슬러 올라가나요? 처음 소장하게 된 책들 중에서 지금 가지고 있는 책이 있나요? 그 책은 언제 소장하게 된 것인가요? 몇 살 때부터 책을 구입하기 시작했나요? 이사를 하면서 어떤 책을 가지고 왔고 어떤 책을 버렸나요?

클레어 메수드 : 컬렉션 중에서 가장 오래된 책들은 대부분 고등학교나 전문대학교 때 사거나 누군가에게 받은 책들입니다. 4년제 대학교를 다니면서 소장 가치가 있는 진지한 두꺼운 책들을 많이 가지게 되었습니다(아우어바흐(Auerbach), 라캉(Lacan), 제임슨(Jameson) 그리고 피쉬(Fish)가 있죠!). 이 중에 몇 권은 저보다 더 부지런히 공부하는 독자에게 줬습니다. (저의 가족은 '북 호더'입니다. 부모님 집에 있는 저의 물건을 정리하면서, 대학교 다닐 때 보던 책들 중에서 버릴 책들을 따로 골라 상자에 담아뒀습니다. 두 상자 정도 나왔던 것 같습니다. 얼마 뒤 부모님 집에 갔더니, 어머니께서 상자에서 책을 전부 꺼내 자신의 서재에 정리해 두셨더군요.)

어렸을 때 받은 시집도 몇 권 가지고 있습니다. 아름다운 삽화가 삽입된 호주 원주민의 신화에 관한 책 2권과 반조 패터슨(Banjo Patterson)의 시집입니다. 3학년과 4학년 때 수업시간에 1등으로 도착한 상으로 받은 책들도 아직 가지고 있습니다. 시드니에서 여자 학교를 다닐 때였는데 아마 1974년과 1975년이었을 겁니다. 3학년 때

상으로 받은 책은《돌고래, 고래 그리고 기타 해양 포유류(Dolphins, Whales, and Other Sea Mammals)》였고 4학년 때 받은 책은 《파충류와 양서류(Reptiles and Amphibians)》였습니다. 두 책 모두 예쁜 사진이 삽입되어 있습니다. 하지만 요즘은 그것들을 거의 보지 않습니다.

어떤 시기에 읽은 책이 또는 소장하게 된 책이 가장 중요한 의미를 지니나요?

책을 소장한다는 것은 간간이 저에게 중요한 의미로 다가옵니다. 책장에 꽂혀있는 책들을 보고 있으면, 저의 지적 능력과 문학적 소양이 어떤 방향과 단계를 거쳐 발전했는지 그 궤도가 눈앞에 펼쳐집니다. 그래서 책은 소장할 필요가 있고 이렇게 책을 소장한다는 것은 의미가 있다고 생각했습니다. 하지만 중년이 된 지금은 소장하고 있는 책을 보고 있으면, 하루에 담배 2갑을 피우는 흡연자가 담배를 바라보는 심정이랄까요? 정말 끊고 싶은데 끊을 수가 없는 담배처럼, 버리고 싶은데 책을 버릴 수가 없습니다. 무엇보다 전 제가 소장하고 있는 책들이 좋습니다. 접힌 책 귀퉁이와 여백에 적힌 메모는 그 무엇과도 바꿀 수 없는 것들입니다. 하지만 가끔 책들이 사라졌으면 좋겠다는 생각이 들 때가 있습니다. 책과 가구와 같은 물건

에 발이 묶이는 것이 너무 끔찍합니다. 사람은 항상 떠날 준비가 되어있어야 합니다. 저의 아버지에게는 접시를 포함해 모든 물건을 항상 상장에 보관하던 사촌이 있었습니다. 저녁시간마다 그는 상자에서 필요한 접시를 꺼내서 사용했습니다. 사용하고 난 접시는 깨끗이 씻어 다시 상장에 넣었죠. 이렇게 그는 항상 다음 단계로 나아갈 준비가 되어있었던 겁니다.

인생 도서에 대해서 이야기 좀 해주세요.

우습게도 제가 선정한 10권의 책들은 마치 가족 같습니다. 이 책들은 저의 정신의 일부분이자 가족입니다. 토마스 베른하르트(Thomas Bernhard)의 책이 언제 저의 가족이 되었는지 정확하게 기억합니다. 저는 1999년 봄, 프랑스 파리에서 영미문학 책 더미 속에서 조르주 베르나노스(Georges Bernanos)의 책을 찾고 있었습니다. 당시 몇 달 동안 우리 가족은 프랑스 파리에 살았습니다. 토마스 베른하르트는 조르주 베르나노스 바로 옆에 있었습니다. 저는 책등에 끌렸습니다. 그래서 토마스 베른하르트의 책 두어 권을 집으로 가져와 읽었습니다. 그렇게 토마스 베른하르트는 저의 가족이 되었습니다.

혹시 당신의 책이 제임스 우드의 책과 함께 정리되어 있나요? 가족 구성

원 중 누군가가 집으로 가져온 책을 당신의 책과 구분해낼 수 있나요?

시와 문학과 같은 어떤 장르는 따로 정리하고 역사나 여행책은 함께 정리하고 있습니다. 우리는 자기 책이 뭔지 정확하게 압니다. 그리고 같이 보는 책이 뭔지도 정확하게 알죠. 어떻게 알아보는지 설명할 수는 없지만, 제가 기억하는 한 단 한 번도 틀린 적이 없습니다.

독서를 할 때 킨들, 아이패드, 스마트폰 등 전자 단말기를 사용하시나요?

침대에 누워서 책을 읽는 것이 가장 즐겁고 좋습니다. 어린아이였을 때도 이 자세로 책을 읽었습니다. 스마트폰이나 아이패드를 가지고 잠자리에 드는 것은 저에게는 상상도 못할 일입니다.

앞으로 5년, 10년, 20년 뒤에 서재는 어떤 모습일까요? 종이책이 그때까지 남아있을까요? 오싹한 질문을 해서 죄송한데, 당신이 죽고 나면 당신의 서재는 어떻게 될까요?

요즘 들어 부쩍 제가 죽으면 저의 책들이 어떻게 될지를 자주 생각합니다. 아마도 아버지가 최근에 돌아가셨고 어머니의 건강이 나빠졌기 때문일 겁니다. 지금 우리 형제들은 부모님이 한평생 읽고 소장해온 책들을 정리하고 있습니다. 일부는 새로운 주인을 만나게 될 겁니다. 하버드 대학교의 중동 연구 센터에 아버지가 소장하고 있던 중동 관련 서적들을 기부했습니다. 정말 잘된 일이죠. 하지만 나머지 책들은 새로운 보금자리를 찾는 것이 더 힘들 것 같습니다. 새로운 독자를 찾을 수만 있다면, 잘 된 일이죠.

그렇다고 이것이 종이책을 소장하지 않은 이유가 되는 것은 아닙니다. 전기와 컴퓨터가 사라지면 세상에 종말이 온다고 믿는 사람이 과연 있을까요? 기술이 진부해져서 정보를 소유하는 것이 어려워진다고 세상의 종말을 걱정하는 사람도 없겠죠. 하지만 과연 우리가 풀과 종이로 만든 책이라는 물건에 적힌 지식 없이 살 수 있을까요? 이 풀과 종이로 만들어진 물건이 주는 즐거움을 원하지 않는 날이 올까요? 이것은 얼토당토않은 생각입니다. 책은 없어도 되는 것이라고 생각하는 사람은 감각적인 즐거움이 무엇인지 전혀 모르는 사람입니다. 전 그런 사람이 안쓰러울 따름입니다.

레어 메수드가 선정한 10권의 인생 도서

레프 톨스토이, 《안나 카레니나(Anna Karenian)》

엘리자베스 비숍, 《시전집(The Complete Poems, 1927-1979)》

아르투르 쇼펜하우어, 《수필과 경구(Essays and Aphorisms)》

토마스 베른하르트, 《증거 수집(Gathering Evidence)》

표도르 도스토옙스키, 《지하생활자의 수기(Notes from Underground)》

헨리 제임스, 《어떤 부인의 초상(The Portrait of a Lady)》

귀스타브 플로베르, 《편지(The Letters, 1830-1857)》

앨리스 먼로, 《이야기 모음집(Selected Stories)》

마르셀 프루스트, 《스완네 집 쪽으로(Swann's Way)》

이탈로 스베보, 《제노의 의식(Zeno's Conscience)》

WORDSWORTH CLASSICS

LEO TOLSTOY

*Anna
Karenina*

Elizabeth Bishop
The Complete Poems
1 9 2 7 - 1 9 7 9

PENGUIN CLASSICS

ARTHUR SCHOPENHAUER

Essays and Aphorisms

THOMAS
BERNHARD

GATHERING
EVIDENCE

A MEMOIR

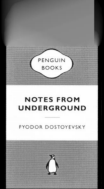

PENGUIN
BOOKS

**NOTES FROM
UNDERGROUND**

FYODOR DOSTOYEVSKY

PENGUIN CLASSICS

HENRY JAMES

The Portrait of a Lady

The Letters of
GUSTAVE
FLAUBERT
1830–1857

SELECTED, EDITED, AND TRANSLATED
BY
Francis Steegmuller

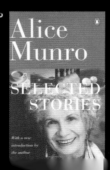

Alice
Munro

SELECTED
STORIES

*With a new
introduction by
the author*

"Swann's Way is translated into something even more enchanting in Lydia Davis's new translation." — Vanity Fair

Swann's Way
Marcel Proust

A
new
translation
by Lydia Davis

ZENO'S CONSCIENCE

ITALO SVEVO

A Novel

"Svevo's masterpiece... [is] a fresh translation by the Beau
literary translation." — Los Angeles Times

제임스 우드의
서재

리아 프라이스: 컬렉션은 몇 년도까지 거슬러 올라가나요?

제임스 우드: 아직 십 대 때 보던 책들도 가지고 있습니다. 서툴고 순진무구한 메모가 빼곡히 적혀있죠. 이 소박하고 순진한 메모에는 이야기가 담겨 있습니다. 바로 사랑 이야기죠. 오래된 책의 여백에는 '대단해!'와 '놀라워!'와 같은 감탄사가 가득 적혀있습니다('이래선 안 돼.'라는 이상한 훈계도 적혀있죠). 이런 메모를 보면 왜 어떤 부분을 좋아했고 어떤 부분을 싫어했는지를 오랜 시간이 지나도 알 수 있습니다. 도서 상품권과 학교에서 받은 상금으로 어린아이일 때부터 책을 샀습니다. (학교에서 받은 상금으로는 책만 살 수 있었습니다.) 서점에서 책을 훔치던 시절도 있었습니다. 반드시 그 책들을 가져야만 했는데 책 살 돈은 없었기 때문이었죠. 비공식적인 연구에 따르면 저와 같은 이유로 책을 훔치는 사람들이 많습니다. 십 대 후반에 들어서면서 책을 그만 훔쳤습니다. 잘못을 뉘우쳤기 때문이라기보다 부끄럽지만 책을 훔치다가 붙잡힐까 봐 두려웠기 때문이었죠(그리고 그 시기에 집안 형편이 좋아져서 책 살 돈이 있었습니다).

인생 도서에 대해서 이야기를 해봅시다. 집에 불이 난다면, 제일 먼저 가지고 나올 책은 무엇인가요?

20세기 소설 중에서 인생 도서를 골랐습니다(안톤 체호프(Anton Chekhov)의 번역서 중에는 20세기에 출판된 것을 선택했습니다).

이렇게 한 이유는 굳이 그 시기에 나온 소설이 최고이기 때문이 아닙니다. (버지니아 울프(Virginia Woolf)가 이야기했듯이) 사람은 현대문학에 대해서 다르게 느낍니다. 더 예민하게 느끼고 더 강한 애착을 갖습니다. 세르반테스(Cervantes)와 달리, 이런 현대문학은 우리가 사는 이 시대를 이야기합니다. 이것이 저의 인생 도서 목록에서 눈에 띄는 부분인 것 같습니다. 제 취향이 아니라 제가 선택한 소설에서 두드러지는 공통점이 있습니다. 대부분이 희극 또는 비희극이란 점입니다. 제가 선택한 안톤 체호프, 헨리 그린(Henry Green), V. S. 나이폴(V. S. Naipaul), 솔 벨로(Saul Bellow), 위대한 체코 소설가 보후밀 흐라발(Bohumil Hrabal)과 요제프 로트(Joseph Roth)의 책들을 보면 이 사실을 알 수 있습니다. 버지니아 울프의《등대로(To the Lighthouse)》는 약간의 희극이 가미된 소설로 제가 매년 다시 읽는 책입니다. 매번 읽을 때마다 보다 큰 경외심과 애정이 느껴집니다.

저의 서재에서 저에게 가장 큰 의미를 지니는 책들은 저의 성장과 발달에 결정적인 영향을 줬던 책들입니다. 이 책들을 언제 어디서 읽었는지 분명히 기억해낼 수 있습니다. 이 책들을 읽으면서 즐거웠고 새로운 것들도 많이 알게 되었습니다. 책에 대한 애정은 사물로서

책의 품질과 아무 관련이 없습니다. 보통 제가 아끼는 책들은 출판사 펭귄에서 나온 낡은 니체의 책처럼 제일 저렴하고 낡아빠진 종이 책입니다. 이 외에도 발터 벤야민(Walter Benjamin)의《일방통행로(One-Way Street)》, 표지에 끔찍한 그림이 그려진 출판사 펭귄에서 만든 솔 벨로의 책, MIT 출판사에서 만든 문학이론에 관한 말도 안 되게 비싸고 절반만 읽다 만 책 등이 있습니다. 전 물질적으로 영원하지 않지만 반대로 물질적으로 대체될 수 있는 책들로 가득한 서재가 좋습니다. 다시 말해 저의 서재를 소장 가치는 없지만 의미 있는 책들로 채우는 것이 좋습니다. 책을 지저분하게 보는 편입니다. 모든 책에 메모를 하고 욕조에 책을 빠뜨리고 주머니에 아무렇게 쑤셔 넣기도 합니다. 그래서 책을 구하겠다고 불난 집에 다시 뛰어들지는 않을 것입니다. 편집이 더 잘 된 새 책을 사서 다시 읽으면 되니까요.

책장에 대해서 이야기를 해봅시다. 당신의 책장은 무엇으로 만들어졌나요? 그리고 어떻게 구하셨나요?

작년에 목수가 만든 새 것입니다. 주문 제작했습니다. 처음 붙박이 책장을 설치했습니다. 제 책의 대부분은 이 책장에 꽂혀있지 않고 위층에 있는 저렴한 가대식 선반에 정리되어 있습니다(선반이 3개로 이루어진 책장인데 문이 열리고 가격은 개당 50달러 정도일 겁니

다). 이 새로 맞춘 붙박이 선반은 한마디로 '자랑용 선반'이지요. 이 새 책장이 정말 마음에 듭니다. 이 책장을 보고 있으면 제가 정말 어른이 된 것 같습니다.

사진 속 책장에 없는 책들은 무엇인가요?

'곧 읽고 싶은 읽지 않은 책'을 꽂아두는 책장이 따로 있습니다. 엄청나게 많은 책이 꽂혀있어서 보고만 있어도 기가 죽습니다.

책을 친구에게 빌려주나요?

간단한 규칙이 있습니다. 너그럽게 이기적으로 행동하라. 친구에게 책을 그냥 줍니다. 절대 빌려주지 않습니다. 빌려 준 책은 다시 돌려받을 수 없으니까요.

책에 표시를 하나요?

책을 지저분하게 읽는 편입니다. 잉크로 메모를 하고 모든 책 귀퉁이는 접혀있습니다. 그리고 책 뒷면에 해야 할 일이나 전화번호 또는 이메일을 보내야 하는 사람의 이름을 적어두기도 합니다. 시간이 지나면 문학에 대한 저의 코멘트를 읽는 것보다 이런 메모를 읽는 것이 더 흥미롭습니다. 몇 년이 흐른 뒤, 이 메모를 바라보며 그 사람들이 누구였는지 기억해내는 재미가 쏠쏠하답니다.

앞으로 5년, 10년, 20년 뒤에 서재는 어떤 모습일까요? 종이책이 그때까지 남아있을까요? 오싹한 질문을 해서 죄송한데, 당신이 죽고 나면 당신의 서재는 어떻게 될까요?

20년이 흘러도 서재는 지금과 같은 모습일 것 같습니다. 죽기 전에 제가 가지고 있는 책들을 기꺼이 처분할 생각합니다. 제가 죽고 나서 자식들이 저의 책을 처리하는 수고를 덜어주고 싶거든요(그래도 분명 제 책을 아이들이 정리하게 되겠죠). 죽기 몇 년 전에 프랭크 커모드(Frank Kermode)는 이사를 했습니다. 그는 이삿짐을 나르기 쉽도록 자신이 가장 아끼는 책을 따로 상자에 담아서 길에 내놨습니다. 근데 세상에나 청소부가 지나가면서 실수로 그 상자를 싣고 가버린 것입니다. 그에게 남은 것이라곤 싸구려 종이책과 문학이론 컬렉션뿐이었습니다. 이 이야기에서 배울 수 있는 교훈이 뭔지 아시겠죠.

제임스 우드가 선정한 10권의 인생 도서

W. G. 제발트, 《아우스터리츠(Austerlitz)》

윌라 캐더, 《대주교에게 죽음이 오다(Death Comes for the Archbishop)》

V. S. 나이폴, 《비스와스 씨를 위한 집(A House for Mr. Biswas)》

헨리 그린, 《러빙(Loving)》

체사레 파베세, 《달과 화톳불(The Moon and the Bonfire)》

요제프 로트, 《라데츠키 행진곡(The Radetzky March)》

솔 벨로, 《오늘을 잡아라(Seize the Day)》

안톤 체호프, 《소설 전집(Stories)》

버지니아 울프, 《등대로(To the Lighthouse)》

보후밀 흐라발, 《너무 시끄러운 고독(Too Loud a Solitude)》

W.G. Sebald

AUSTERLITZ

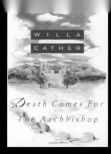
WILLA CATHER

Death Comes For The Archbishop

V. S. NAIPAUL

WINNER OF THE NOBEL PRIZE IN LITERATURE

A House for Mr Biswas

The celebrated British author...
His most famous novel...
Henry Green
Loving

"A work of art"
—The New Yorker

"One of the living novelists I admire the most"
—Elizabeth Bowen

The Moon and the Bonfire
Cesare Pavese

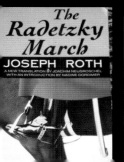
The Radetzky March
JOSEPH ROTH

A NEW TRANSLATION BY JOACHIM NEUGROSCHEL
WITH AN INTRODUCTION BY NADINE GORDIMER

PENGUIN CLASSICS
SAUL BELLOW
Seize the Day
Introduction by CYNTHIA OZICK

ANTON CHEKHOV

STORIES

TRANSLATED BY
RICHARD PEVEAR AND LARISSA VOLOKHONSKY
WITH AN INTRODUCTION BY RICHARD PEVEAR

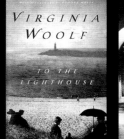
VIRGINIA WOOLF

TO THE LIGHTHOUSE

Too Lou
B

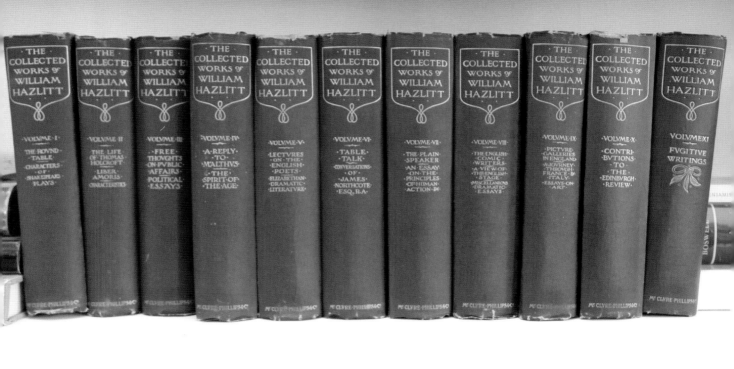

THE COLLECTED WORKS OF WILLIAM HAZLITT

VOLUME I
THE ROUND TABLE · CHARACTERS OF SHAKESPEAR'S PLAYS

VOLUME II
THE LIFE OF THOMAS HOLCROFT · LIBER AMORIS · CHARACTERISTICS

VOLUME III
FREE THOUGHTS ON PUBLIC AFFAIRS · POLITICAL ESSAYS

VOLUME IV
A REPLY TO MALTHUS · THE SPIRIT OF THE AGE

VOLUME V
LECTURES ON THE ENGLISH POETS · ELIZABETHAN DRAMATIC LITERATURE

VOLUME VI
TABLE TALK · CONVERSATIONS OF JAMES NORTHCOTE, ESQ., R.A.

VOLUME VII
THE PLAIN SPEAKER · AN ESSAY ON THE PRINCIPLES OF HUMAN ACTION, ETC.

VOLUME VIII
THE ENGLISH COMIC WRITERS · A VIEW OF THE ENGLISH STAGE · MISCELLANEOUS DRAMATIC ESSAYS

VOLUME IX
PICTURE GALLERIES IN ENGLAND · A JOURNEY THROUGH FRANCE & ITALY · ESSAYS ON ART

VOLUME X
CONTRIBUTIONS TO THE EDINBURGH REVIEW

VOLUME XI
FUGITIVE WRITINGS

McCLURE PHILLIPS & CO.

Light In August FAULKNER
POEMS
FLORIO'S MONTAIGNE
SYLVIA PLATH
ROBERT BALDICK
OFF THE WALL
The Hours
PETER CAREY
Martin Amis The Second Plane
NETHERLAND
W.G. SEBALD VERTIGO
ZADIE SMITH ON BEAUTY
JOHN LANCHESTER
VENDLER Our Secret Discipline
After Ovid
Joshua Ferris
Short People
SEIZE THE DAY by SAUL BELLOW
DANGLING MAN
SERVANTS OF THE MAP
The Book Against God James Wood
JAMES WOOD The Irresponsible Self
J. P. STERN RE-INTERPRETATIONS
EDMUND WILSON
SAUL BELLOW HERZOG
AUBREY'S BRIEF LIVES
HOW TO READ A PAGE
PNIN
JAMES WOOD The Book Against God
CRANE

After Ovid

MICHAEL COLLIER
The Ledge

MICHAEL HOFMANN and JAMES LASDUN

FSG

BAKER
THE THOUSAND ACRES · Poems · Adam Kirsch
CHANGEABLE THUNDER

ARKANSAS

WOOD
Principles of Animal Physiology

Addison Elsevier

THE ELUSIVE EMBRACE   DANIEL MENDELSOHN

WARNER BOOKS

LINDA GREGERSON THE WOMAN WHO DIED IN HER SLEEP Poems

LEON WIESELTIER against identity

THE MORAL OBLIGATION TO BE INTELLIGENT

Selected Essays

nrf

Ecstatic in the Poison   Andrew Hudgins

Joshua Furst Short People

NEW POEMS   Justin O'Brien   OVERLOOK

Vintage

TOLSTOY
AND THE
NOVEL

John Bayley

CHATTO & WINDUS

GLYN MAXWELL

Time's

Fool

HOUGHTON MIFFLIN

Geraldine Brooks

Year of Wonders

SEIZE THE DAY by SAUL BELLOW   The Viking Press

DANGLING MAN   Saul Bellow

Barrett SERVANTS OF THE MAP

Auburn

The Book Against God   James Wood

FSG

JAMES WOOD The Irresponsible Self

78 | Albert Camus | L'exil et le royaume | fflio

2 | Albert Camus | L'étranger | fflio

21 | Albert Camus | La peste | fflious

10 | Albert Camus | L'envers et l'endroit | essais 41

Albert Camus | La chute | fflio

ff PETER CAREY | Oscar and Lucinda

Peter Carey | JACK MAGGS

The Beauty of the Husband | ANNE CARSON

WILLA CATHER | Death Comes for The Archbishop | Vintage

SAPPHIRA AND THE SLAVE GIRL | CATHER

DEATH COMES FOR THE ARCH-BISHOP | CATHER

28 | Céline Voyage au bout de la nuit | fflio

THE HERE AND NOW | ROBERT COHEN

The Viking Portable Library | CONRAD | ISBN 0-14 060501-5

JOSEPH CONRAD | Nostromo | ISBN 0 14 018371 X | PICADOR

A NEW WORLD | AMIT CHAUDHURI

JOHN CHEEVER | THE JOURNALS | V

CÉRÉMONIE | GUS STLO

SASHA CHAMBERLAIN

the end of the story | lydia davis

HIGH RISK BOOKS

DANIEL DEFOE | ROBINSON CRUSOE | ISBN 0 14 062 5 3

DERWORLD

DON DELILLO | UNDERWORLD | PICADOR

DAVID COPPERFIELD | OXFORD

THE EPICUREAN PHILOSOPHERS · EDITED BY JOHN GASKIN

THE REBEL

Albert Camus · The Myth of Sisyphus · CAMUS · VINTAGE

E.M. CIORAN · THE TEMPTATION TO EXIST

E.M. CIORAN · ANATHEMAS AND ADMIRATIONS

A DISCOURSE ON METHOD · MEDITATIONS AND PRINCIPLES

COLERIDGE · Diderot, d'Alembert, and others · Confessions of an Inquiring Spirit · RENÉ DESCARTES

DIDEROT · SELECTED WRITINGS · Encyclopedia · 223 · BOBBS MERRILL

ECKHART · SELECTED WRITINGS ON ART AND LITERATURE · ISBN 0-14 04-5268-9

The Epicurus Reader · HACKETT · 0241

THE EPICUREAN TRADITION · HOWARD JONES · ISBN 0-14 04-3343-0

GOD IN US · ANTHONY FREEMAN · ROUTLEDGE

FREUD · The Psychology of Love

FREUD · 14 · ART AND LITERATURE · PENGUIN CLASSICS

SIGMUND FREUD · Jokes and Their Relation to the Unconscious · ISBN 0-14 01-1567-5

VOLUME 13 / FREUD · The Origins of Religion · NORTON · ISBN 0-14 01-3002-4

CLASSICS OF FREE THOUGHT · Sigmund Freud · The Uncanny

W.K.C. GUTHRIE · THE GREEK PHILOSOPHERS

ERNEST TALBOT · THE PSYCHOANALYTIC MOVEMENT

Essays in Aesthetics · Edited by Paul Blanshard

필립 풀먼

_ Philip Pullman

필립 풀먼의
서재

저의 컬렉션은 어린 시절까지 거슬러 올라갑니다. 지금도 그 책들을 갖게 된 날짜를 정확하게 말할 수 있습니다. 8살 때 우리 가족은 런던에서 호주로 항해를 했습니다(물론 진짜 우리 가족이 배를 몰았다는 건 아닙니다. 1950년대 흔히 장거리 이동수단으로 사용된 대형 선박을 타고 호주로 이주했다는 거죠). 이때 가족 책장에서 가지고 왔던 책을 아직도 가지고 있습니다. 롱펠로(Longfellow)의 시집입니다. 많은 신화도 담겨 있었는데, 정말 열정적으로 그 책을 읽었습니다. 왜 그 책을 선택했는지는 모르겠습니다. 아마도 사람들에게 나는 이렇게 수준 있는 책을 읽는다는 인상을 주고 싶은 마음에 선택했던 것 같습니다.

언제부터 책을 사기 시작했을까요? 아마도 책 살 돈을 모았을 때부터였겠죠. 친척들은 생일선물로 도서 상품권을 줬습니다. 그리고 학교에서 주는 상은 보통 책이었습니다. 로렌스 더럴(Lawrence Durrell)의 《발타자르(Balthazar)》를 이동도서관에서 빌려서 읽었던 기억이 납니다. 그때가 아마도 15살이었을 겁니다. 이 소설은 성인의 세련미와 관능미가 적절하게 혼합되어 있었습니다. 그의 책에 완전히 매료되었습니다. 그래서 W. H. 스미스에서 《마운톨리브(Mountolive)》와 《클레아(Clea)》를 구입해서 읽었습니다. W. H. 스미스는 제가 살았던 웨일스 북부지방에서 서점이라 불릴만한 유일한 상점이었습니다. 삼촌은 저에게 《저스틴(Justine)》을 '기부'했습니다. 삼촌은 읽으려고 그 책을 샀는데 별로 마음에 들지 않았던 것 같습니다. 그리고 저는 아직도 한때 유명했던 로렌스 더럴의 《알렉산드리아 4중주(Alexandria Quartet)》 세트를 가지고 있습니다. 지금도 로렌스 더럴의 4부작 대하소설을 읽습니다. 저는 왜 이 좋은 작품을 사람들이 더 이상 읽지 않는지 이해할 수가 없습니다. 그러나 이 작품들이 왜 청소년이 읽기에 완벽한 소설이란 평가를 받았었는지는 이해할 수 있습니다. 나쁜 의미는 아닙니다. 제가 한 때 사랑했던 책들을 헐뜯고 싶지 않습니다. '나는 그대를 모르네. 낡고 오래된 책이여.'라고 말하며 자신들의 과거의 독서 취향을 경멸하는 사람들의 도덕적 판단이 항상 의심스럽습니다.

저의 인생에서 책이 중요하지 않았던 시기는 없었습니다. 그리고 독서를 중단했던 때도 없었습니다. 저에게 책과 독서는 숨 쉬는 것만큼 중요합니다.

인생 도서를 좀 급하게 선정했습니다. 물론 의미가 있는 책들입니다만, 조금 더 시간이 있었다면 조금 다른 책들로 목록을 구성했을 겁니다. 그럼에도 저의 인생 도서 목록에 항상 들어가는 4권의 책들이 있습니다. 그중 하나는 도날드 알렌(Donald Allen)의 《새로운 영미 시 모음집 1945-1960(The New American Poetry, 1945-1960)》입니다. 제가 가지고 있는 책은 현대판입니다. 16살 때 이 책을 처음 봤는데 시에 대한 저의 생각이 완전히 무너졌습니다. 당시 저는

프랜시스 터커 폴그레이브(Francis Turner Palgrave)가 편찬하고 출판한 서정단시집《골든트레저리(The Golden Treasury of the Best Songs and Lyrical Poems in the English Language)》를 읽고 나름대로 시에 대한 정의를 내렸습니다. 십 대 시절, 이 책을 2~3년 동안 어디를 가든지 항상 가지고 다녔습니다. 이 책은 가장 대중적인 영국 시 모음집입니다. 이 책을 통해 전통적인 시란 무엇인지를 알았습니다.

당시 유명한 시는 전부 이 책에 담겨 있었습니다. 저는 이 책에 담긴 시들이 좋았습니다. 지금도 좋아합니다. 하지만 《새로운 영미 시 모음집 1945-1960(The New American Poetry, 1945-1960)》은 저를 기분 좋으면서 술에 취한 듯 몽롱하고 고무적이면서 매혹적인 혼돈의 상태로 빠뜨렸습니다. 이 책은 저에게 새로운 색채와 음률 그리고 새로운 형태의 즐거움을 알려줬습니다. 알렌 긴즈버그(Allen Ginsberg)의 《울부짖음(Howl)》도 제 영원한 인생 도서입니다. 어떻게 이 책과의 첫 만남을 잊을 수 있겠습니까? 그리고 알렌 긴즈버그 덕분에 윌리엄 블레이크(William Blake)를 알게 되었습니다. 저에게는 윌리엄 블레이크의 《시 모음집(Selected)》이 있었습니다. 책이 너덜너덜해질 정도로 그의 시를 읽었습니다. 이 책에는 무궁무진한 이야기가 수록돼 있어요. 그래서 제가 정말 사랑했던 또 다른 벗이었습니다. 집에 불이 난다면, 아마도 제일 먼저 이 책을 집어 들 것입니다.

저의 책장은 원목으로 되어있습니다. 8년 전에 이 집으로 이사를 왔습니다. 이사를 오면서 모든 책을 보관할 서재를 마침내 가지게 되었다고 생각했습니다. 하지만 그것은 부질없는 생각이었습니다. 성경 어딘가에 이런 구절이 있죠. "많은 책을 짓는 것은 끝이 없다." 책을 수납하기 위해서 적당하다고 여겨지는 벽에 선반을 만들었습니다. 1년이 되기도 전에 모든 벽이 책장으로 가득 찼고 바닥은 책더미에 파묻혔습니다. 또 시내에 나갈 때마다 두세 권의 책을 사 옵니다. 출판사들은 찬사를 받을 만한 좋은 책을 마구 쏟아냅니다. 그리고 마치 자신이 태어났던 곳으로 되돌아오는 연어 떼처럼 외국어로 번역된 저의 책들도 전 세계에서 저에게로 돌아와 집을 가득 채웁니다.

책 정리: 이곳에 처음 이사 와서 막내아들에게 용돈을 주고 지하 '서재'에 있는 책을 정리하도록 시켰습니다. 그 녀석은 도서관 사서처럼 카테고리별로 책을 정리했습니다. 한동안 이런 정리방식은 꽤 효과적이었습니다. 그러나 카테고리별로 책을 정리할 수 없을 정도로 책의 종류와 양이 많아지면서 무용지물이 되었습니다. 이제는 필요한 책을 찾으려면 기억에 의존해야 합니다. 그 책이 있을만한 책더미, 선반 또는 마루 구석 등을 뒤집니다. 여기에는 완전히 잊고 있었던 책과 재회하는 즐거움도 있습니다.

글을 쓸 때, 저는 가장 유용하고 유의미한 책을 곁에 둡니다. 무엇보다 가장 중요한 책은 1959년 판 《챔버스의 20세기 사전(Chambers's Twentieth Century Dictionary)》입니다(저의 인생 도서에서 빠지지 않는 4권의 책들 중 하나입니다). 너무 많이 봐서 여기저기 테이프가 덕지덕지 붙어있습니다. 한 손에 쏙 들어가는 적당한 크기의 사전입니다. 갈수록 사전들이 불필요하게 커지는 것 같습니다. 이 사전을 좋아하는 이유는 뭔가 건방진 위트가 담겨 있기 때문입니다. 가끔 단어의 정의가 예상치도 못하게 뒤통수를 때리기도 합니다. 'double-locked'라는 단어를 예로 들어보겠습니다. 이 사전은 이 단어를 '현실에서 많이 사용되지는 않고 소설에 아주 많이 등장하는 자물쇠로 열쇠를 두 번 돌려 잠겨 진 상태'라고 정의합니다.

사진에 없는 책들: 부엌에는 요리책이 있습니다. 한 3번 봤을까요? 요리책을 쉽게 버릴 수 있습니다. 아무래도 좀 버려야 할 것 같네요. 전화번호부는 전화기 옆에 있죠. 포르노는 없습니다. 침대 옆 테이블에는 무엇이든지 간에 스릴러물이 놓여있습니다(현재 존 르 카레(John Le Carre)의 《영예로운 학생(The Honourable Schoolboy)》을 읽고 있습니다). 리 차일드(Lee Child)의 소설을 최근에 많이 읽었습니다. 스릴러를 좋아합니다. 비평하지 않고 읽을 수 있는 장르입니다. 제임스 리 버크(James Lee Burke)는 놀라울 정도로 훌륭한 소설가입니다.

독서가 글쓰기에 어떻게 영향을 주는지 그리고 글쓰기가 독서에 어떻게 영향을 주는지 물으셨죠? 백만 가지 방식으로 끊임없이,

지속적으로 잡다하게 서로 영향을 주고받고 있습니다. 언제가 이것을 주제로 자세하게 글을 쓸 생각입니다. 책에 관한 회고록이 되겠죠. 물론 다른 모든 것들과 마찬가지로 누군가가 이미 이런 종류의 글을 썼을 겁니다.

킨들: 지금 우리는 구텐베르크의 활판 인쇄술만큼 위대한 혁명의 막바지에 와있는지도 모릅니다. 아닐 수도 있죠. 풀이나 실로 제본한 책만큼 위대한 발명품은 없었습니다. 여전히 종이책은 타의 추종을 불허하는 발명품입니다. 킨들을 읽는 것은 종이책을 읽는 것과 비슷합니다. 킨들로 달리 할 수 있는 일이 없으니까요. 킨들로 이메일을 확인하거나 미식축구 경기 결과를 확인할 수 없습니다. 이처럼 킨들에는 독서를 방해할 수 있는 기능이 전혀 없죠. 그리고 킨들에는 종이책과 마찬가지로 페이지라고 불리는 화면에 텍스트가 정렬됩니다. 하지만 킨들로는 원하는 구절을 찾기가 쉽지 않고 종이책처럼 시의 형태와 맛을 제대로 느낄 수 없습니다. 시의 서식 설정이 엉망입니다. 하지만 조그만 플라스틱 판자에 수백 권의 책을 넣을 수 있다는 것은 정말 대단한 일입니다. 여행이나 주말 나들이 등에 얼마나 유용한지 모릅니다. 완전 대박이죠! 한편으로 전력 공급, 컴퓨터 서버, 브로드밴드 연결, 신용거래 등 방대하고 미스터리하고 눈에 보이지 않는 인프라를 계속 사용해야 하는 기기를 신뢰하지 않습니다. 인쇄기는 어디서든지 돌아갑니다. 전력이 전혀 필요 없죠. 종이와 잉크만 있으면 됩니다. 제본술은 장인의 기술입니다. 하지만 컴퓨터는 어떤가요? 컴퓨터가 고장 나면 미련 없이 킨들을 내다버릴 겁니다. 하지만 종이책은 영원히 저와 함께할 겁니다. 남은 여생 동안 읽을 책이 충분하냐고요? 이제 더는 새 책을 사지 않아도 될 정도로 충분하냐고 물으신다면, 저의 대답은 '네 그렇습니다.'입니다. 하지만 저는 여전히 X의 Y에 관한 전기가 나오길 기대합니다. 저는 NYBR에서 읽었던 중세 히브리어 시 모음집을 반드시 가져야겠습니다. 가령, A는 저에게 B의 새로운 소설에 대해 열변을 토했고 결국 저는 그녀의 소설이 너무 좋아졌습니다. 그래서 제가 어떻게 할까요? 물론 그녀의 책을 사겠죠. 저는 앞으로도 계속 집을 책으로 채울 겁니다.

이 행동으로 제가 감당해야 할 결과가 무엇이든 전혀 상관없습니다. 가끔 일부는 기부를 하거나 버립니다. 아무 정보 없이 스릴러 소설을 샀는데, 그 스릴러의 내용이 너무 형편없어서 1페이지를 넘기는 것조차 힘겨우면 어떻게 해야 할까요? 태국어로 번역된 저의 동화책은 한 권쯤 가지고 있을만하죠. 그래도 10권까지는 필요가 없죠. 그래서 가끔 서재를 보면서 원치 않는 책들을 골라서 중고품 가게에 보냅니다. 이것은 거품을 걷어내는 정도에 지나지 않습니다. 아직도 책장 깊숙이 원하지 않는 책들이 숨어있을 겁니다. 하지만 제 눈에는 보이지 않으니 상관없어요.

필립 풀먼이 선정한 10권의 인생 도서

루스벤 토드, 《블레이크(Blake)》

페르난도 페소아, 《불안의 책(The Book of Disquiet)》

에르제, 《카스타피오레 에메랄드(The Castafiore Emerald)》

《챔버스의 20세기 사전(Chambers's Twentieth Century Dictionary)》

엘리자베스 비숍, 《시전집 1927-1979》

이탈로 칼비노, 《이탈리아의 민화(Italian Folktales)》

조지 엘리엇, 《미들마치(Middlemarch)》

도날드 알렌, 《새로운 영미 시 모음집 1945-1960(he New American Poetry, 1945-1960)》

아서 퀼러쿠치, 《발라드 전집(The Oxford Book of Ballads)》

프랜시스 터커 폴그레이브, 《골든트레저리(The Golden Treasury of the Best Songs and Lyrical Poems in the English Language)》

THE LAUREL POETRY SERIES

BLAKE

The Book of Disquiet

HERGÉ
THE ADVENTURES OF TINTIN

THE CASTAFIORE EMERALD

MAGNET

CHAMBERS'S
TWENTIETH
CENTURY
DICTIONARY

Elizabeth Bishop
The Complete Poems
1927–1979

ITALIAN FOLKTALES

SELECTED AND RETOLD BY

ITALO CALVINO

MORE THAN
100,000
COPIES SOLD

THE NEW AMERICAN POETRY 1945–1960

The visionary anthology that influenced two generations of poets and readers

EDITED BY
DONALD ALLEN

With a new afterword

Helen Adam • Brother Antoninus
• John Ashbery • Paul Blackburn
• Robin Blaser • Ebbe Borregaard
• Bruce Boyd • Ray Bremser
• James Broughton • Paul
Carroll • Gregory Corso • Robert
Creeley • Edward Dorn • Kirby
Doyle • Richard Duerden • Robert
Duncan • Larry Eigner • Lawrence
Ferlinghetti • Edward Field
• Allen Ginsberg • Madeline
Gleason • Barbara Guest
• LeRoi Jones • Jack Kerouac
• Kenneth Koch • Philip Lamantia
• Denise Levertov • Ron
Loewinsohn • Edward Marshall
• Michael McClure • David
Meltzer • Frank O'Hara • Charles
Olson • Joel Oppenheimer
• Peter Orlovsky • Stuart Z.
Perkoff • James Schuyler • Gary
Snyder • Gilbert Sorrentino
• Jack Spicer • Lew Welch
• Philip Whalen • John Wieners
• Jonathan Williams

THE OXFORD BOOK
OF
BALLADS

THE
GOLDEN TREASURY
OF THE BEST SONGS AND LYRICAL
POEMS IN THE ENGLISH LANGUAGE

Selected and arranged by
FRANCIS TURNER PALGRAVE

With Additional Poems

OXFORD UNIVERSITY PRESS
LONDON : HUMPHREY MILFORD

VENICE

RADAR National Key Scheme Guide 2009

Accessib

I
Sc

MYTH & MAGIC

THE ART OF JOHN HOWE

Hockney

Hockney's Pictures

Brown

VENETIAN NARRATIVE PAINTING
IN THE AGE OF CARPACCIO

Yale

BROWN Renaissance VENICE

CHINA

The Three Emperors
1662–1795

RA

RUSSIAN LANDSCAPE

GOODISON GALLERY

John Piper

The Green Fuse
PASTORAL VISION IN ENGLISH ART 1820–2000

Jerrold
Northrop
Moore

ANTIQUE COLLECTORS' CLUB

Henri Cartier-Bresson
the man, the image & the world

A RETROSPECTIVE

Eric Ravilious

Imagined Realities

SYMBOLISM

Pevsner

pioneers of modern design

YALE

Secret Knowledge

Rediscovering the lost techniques of the Old Masters

Michael Gibson

David Hockney

NEW AND EXPANDED EDITION

Joscelyn Godwin

ATHANASIUS KIRCHER'S THEATRE OF THE WORLD

RAPHAEL
FROM URBINO TO ROME

NG

19th CENTURY MARITIME WATERCOLOURS

Arkady Vaucat

Oxford Museum

BRITISH PRINTS FROM THE MACHINE AGE
RHYTHMS OF MODERN LIFE 1914–1939

TERRY CLIFFORD'S ACKLE

Bound for Success

GNOSTICISM — Benjamin Walker

RIEFER HISTORY OF TIME — STEPHEN HAWKING

NTAT PRESS

DARK ANGELS — JOHN SIMMONS / CYAN

THE LAST ENEMY — RICHARD HILLARY / PIMLICO

BOGHOSSIAN — fear of knowledge / OXFORD

Is there a book in you?

TIMOTHY RADCLIFFE OP — WHAT IS THE POINT OF BEING A CHRISTIAN? — Alison Baverstock / A&C

Reformation — EUROPE'S HOUSE DIVIDED 1490-1700 — DIARMAID MacCULLOCH

Journals of Gilbert White, Johnson, editor

PASTERNAK, TSVETAYEVA, RILKE — LETTERS: SUMMER 1926 — nyrb

David Crystal — Who Cares About English Usage? — ISBN 0 14 02.25447

Raymond Smullyan — FOREVER UNDECIDED — A PUZZLE GUIDE TO GÖDEL / OXFORD

Nuttall — THE ALTERNATIVE TRINITY / OXFORD

MOUNI SADHU — Concentration — GEORGE ALLEN AND UNWIN

On the Kabbalah and Its Symbolism — SCHOLEM — SCHOCKEN

Witold Rybczynski — THE MOST BEAUTIFUL HOUSE IN THE WORLD — ISBN 0 14 01.0566 2

THE OXFORD A TO Z OF Word Games / OXFORD

THE DAY BEFORE YESTERDAY — COLIN TUDGE / PIMLICO

WARNER · Phantasmagoria · OXFORD

SPECULATIONS · Hulme · ROUTLEDGE

Michel Montignac · EAT YOURSELF SLIM · MM

THREE FILMS OF W.C. FIELDS · ff

BETTER GARDENING · Robin Lane Fox

Ruskin · THE SEVEN LAMPS OF ARCHITECTURE · Dover 0-486-26145-X

thirty secret years · Robin Denniston

MICHAEL BERKELEY · Private Passions · ff

Festival of Britain · DESIGN 1951

CINEMA PARADISO · ff

JOHN RUSKIN · PRAETERITA

JAMES OUTRAM · A BIOGRAPHY · VOL. I · SIR F.J. GOLDSMID

JAMES OUTRAM · A BIOGRAPHY · VOL. II · SIR F.J. GOLDSMID · SMITH, ELDER & CO

RUSKIN'S VENICE · THE STONES REVISITED · Sarah Quill · Ashgate

게리
슈테인가르트

_ Gary Shteyngart

게리 슈테인가르트의 서재

리아 프라이스: 다른 작가들에게 전자책을 읽느냐고 물었습니다. 그들은 눈에 보이지 않는 감각을 언급하며 전자책을 부정적으로 평가했습니다. 특히 종이와 접착제에서 나는 냄새를 언급하더군요. 그러나 당신의 최신 소설은 종이책 냄새가 좋아서 전자책을 읽지 않는다는 논리를 완전히 뒤집습니다. 미래인지 현재인지 알 수 없는 시대에 사람들이 아이폰을 닮은 이상한 기계에 딱 달라붙어 있고 책 냄새를 맡지 않으려고 코를 움켜잡습니다. 게다가 한 등장인물은 책의 냄새를 젖은 양말 냄새에 비유하죠. 종이책이 주는 감각적 경험들이 독서 경험에 어떻게 작용하나요? 좋든 나쁘든 책의 외적인 특징들이 중요한가요?

게리 슈테인가르트: 네. 전 책 냄새를 아주 좋아합니다. 킁킁거리며 책 냄새를 맡기도 합니다. 구소련 시대에 출판된 오래된 책들은 특유의 강한 냄새를 가지고 있습니다. 어떤 이유에서 이 냄새를 맡으면 구소련 시대의 싸구려 카페테리아에서 먹던 토마토 수프가 떠오릅니다.

컬렉션은 몇 년도까지 거슬러 올라가나요?

4살인가 5살 때부터 책을 읽기 시작했습니다. 컬렉션 중에서 가장 오래된 책은 이때 읽었던 책입니다. 러시아어로 번역된 스웨덴의 어린이 책입니다. 책 제목을 '닐스와 야생 기러기의 모험' 정도로 번역할 수 있겠네요. 너무 많이 읽어서 책이 빠르게 해졌습니다. 지금 이 책은 구소련 시대에 제작된 마스킹 테이프로 칭칭 감겨 져 있습니다.

인생 도서에 대해서 이야기를 해보죠.

블라디미르 나보코프(Vladimir Nabokov)의 《프닌(Pnin)》는 매우 중요합니다. 인간적이면서 우스운 작품입니다. 미국 드라마인 소프라노스(Sopranos) DVD 전체 컬렉션을 잊으면 안 되죠. 이것은 새로운 시대의 스토리텔링 기법입니다.

책장에 대해서 이야기를 해보죠. 책장의 재질은 무엇인가요? 어디서 구하셨나요?

디자인 위딘 리치(design within reach)에서 구입했습니다. 4칸짜리 책장과 3칸짜리 책장들입니다. 화려한 색채의 책들이 꽂힌 책장들이 거실을 화려하게 꾸며주죠.

책을 어떻게 정리하시나요? 아니면 어떻게 정리하려고 하시나요?

솔직히 말하면 온 사방 천지가 책입니다. 블라디미르 나보코프와 필

립 로스(Philip Roth)의 책처럼 좋은 책들은 한곳에 따로 정리해둡니다. 하지만 대체로 어떤 순서에 따라 책을 정리하지 않습니다. 저는 잊고 지냈거나 예상치 못한 책을 찾아내는 즐거움을 원합니다. 어디에 무슨 책이 꽂혀있는지 정확하게 아는 사람이 있을까요?

사진 속 책장에 꽂혀있지 않은 책들은 어떤 책들인가요? 요리책이나 전화번호부처럼 책장이 아닌 다른 곳에 보관하는 책들이 있나요?

여행책은 두 번째 침실로 좌천당했습니다. 요리책이요? 전 요리할 줄 모릅니다. 근데 전화번호부란 게 아직 있나요?

대부분의 사람들과 달리, 당신의 책장에는 책만 꽂혀있네요. (그리고 소프라노스 DVD 세트도 있고요.) 책과 작은 장식품, 골동품, 사진 등을 같이 두는 것에 반대하시나요?

골동품에 죽음을!

오디오북을 듣습니까? 책을 소리 내서 읽는 것은 선호하나요? 아니면 누군가가 소리 내서 읽어주는 것을 좋아하나요?

전 구닥다리 노인네입니다. 그래서 여전히 책처럼 종이로 된 무언가를 읽는 것을 좋아합니다. 사람들은 읽고 나서 글을 쓰죠. 더 많이 읽으면 더 많이 쓸 수 있습니다. 이것이 끊임없이 반복되죠.

아이폰으로 책이나 잡지를 읽으시나요?

가끔 온라인으로 뉴욕타임스를 봅니다. 러시아 논문도 온라인으로 읽곤 하고요. 그리고 이메일로 뉴요커를 받아보고 있습니다.

다 읽고 난 책을 버리거나 해져서 망가진 책을 새로운 책으로 대체할 때 금기사항이 있나요?

정말 쓰레기나 다름없는 책도 있습니다. 이런 책은 당연히 버려야죠. 하지만 쓰레기처럼 쓸모없는 책 중에서 인생의 특정 시기를 떠올리게 하는 책들이 있습니다. 이런 책들은 보관을 해야 합니다. 아무도 못 보게 벽장 깊숙한 곳에요.

게리 슈테인가르트가 선정한 10권의 인생 도서

모데카이 리클러, 《세번째 사랑(Barney's Version)》

안톤 체호프, 《체호프 단편선(Collected Works)》

살만 루슈디, 《한밤의 아이들(Midnight's Children)》

이창래, 《영원한 이방인(Native Speaker)》

블라디미르 나보코프, 《프닌(Pnin)》

필립 로스, 《포토노이의 불평(Portnoy's Complaint)》

에이드리안 리콜 르블랑크, 《랜덤 패밀리(Random Family: Love, Drugs, Trouble, and Coming of Age in the Bronx)》

소프라노스 시즌1(The Sopranos season 1)

메리 개츠킬, 《베로니카(Veronica)》

세르게이 도블라토프, 《우리는 만났고 대화했다(We Met, Talked)》

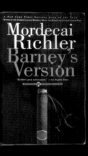

Mordecai
Richler
Barney's
Version

Anton
Chekhov

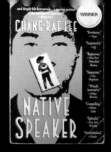

miDNight's
ChiLDReN
Salman
Rushdie

With an introduction by the author

CHANG-RAE LEE

NATIVE
SPEAKER

VLADIMIR NABOKOV

PNIN

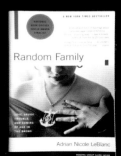

Portnoy's
Complaint
Philip
Roth

Random Family

LOVE, DRUGS,
TROUBLE,
AND COMING
OF AGE IN
THE BRONX

Adrian Nicole LeBlanc

THE
SOPRANOS

The Complete First Season

Veronica
Mary Gaitskill

СЕРГ
ДОВ

В

КОМПРОМИ

ЧЕМОДАН

ХОЛОДИЛЬН

ИНОСТРАНКА

РАССКАЗЫ 197

РАССКАЗЫ 19

THE GIFT — NABOKOV

KING, QUEEN, KNAVE — NABOKOV

BEND SINISTER — NABOKOV

NABOKOV

RICHARD YATES — THE EASTER PARADE — PICADOR

RICHARD YATES — A SPECIAL PROVIDENCE — PICADOR

DAMASCUS GATE — ROBERT STONE

THE DEFENSE — NABOKOV

JOHN UPDIKE — BECH: A BOOK

John Updike — rabbit, run

JOHN UPDIKE — BECH AT BAY

THE STORIES OF VLADIMIR NABOKOV — VINTAGE

LOLITA — NABOKOV

LOOK AT THE HARLEQUINS! — NABOKOV

DESPAIR — NABOKOV

THE REAL LIFE OF SEBASTIAN KNIGHT — NABOKOV

INVITATION TO A BEHEADING — NABOKOV

LIT — MARY KARR

MARY KARR — THE LIARS' CLUB — PENGUIN

Wild Meat and the Bully Burgers — Lois-Ann Yamanaka

THE MYSTERY GUEST — Grégoire Bouillier

HENRY MILLER — Tropic of Cancer — Grove Weidenfeld

DEBORAH EISENBERG — TWILIGHT of the SUPERHEROES — FSG

THE LIFE OF INSECTS — VICTOR PELEVIN

Jeanette Winterson — THE PASSION — Grove Press

BUDAPEST — CHICO BUARQUE

THE PAT HOBBY STORIES — Fitzgerald — SL 21 — SCRIBNERS

LOW LIFE — LUC SANTE — VINTAGE

W. G. Sebald — The Emigrants — NDP453

WEEP NOT, CHILD — Ngũgĩ

Propaganda — MONUMENTAL — VLADIMIR VOINOVICH — KNOPF — H

Joseph Brodsky — Collected Poems in English — FSG

ANATOLE BROYARD — Kafka Was the Rage

ANDORRA — CAMERON — SG

Satyrcon Solitoya — THE SLYNX — Houghton Mifflin

Mark Doty

Tim Parks — Destiny — Arcade

CALVIN TOMKINS — LIVING WELL Is THE BEST REVENGE

Lerner & West — JEWS & BLACKS — Grosset/Putnam

MUND VER

HOTEL DE DREAM · EDMUND WHITE

CITY BOY

EDMUND WHITE

The Stories of John Cheever · Knopf

Cheever

Blake Bailey · Knopf

VLADIMIR NABOKOV

ADA

McGRAW-HILL

BRIAN BOYD

VLADIMIR NABOKOV · THE · RUSSIAN YEARS

PRINCETON

BRIAN BOYD

VLADIMIR NABOKOV · THE · AMERICAN YEARS

PRINCETON

NABOKOV · WILSON

Dear Bunny, Dear Volodya

THE NABOKOV-WILSON LETTERS, 1940-1971

NOCTURNAL BUTTERFLIES of the RUSSIAN EMPIRE

JOSÉ MANUEL PRIETO

Салтыков-Щедрин

М. Е.

LAUGHTER IN THE DARK — Nabokov

Akhil Sharma — AN OBEDIENT FATHER

MISSION TO AMERICA — WALTER KIRN

on almost perfect moment — binnie kirshenbaum — a novel

Jhumpa Lahiri — THE NAMESAKE — HOUGHTON MIFFLIN

A Small Place — AT THE BOTTOM OF THE RIVER — JAMAICA KINCAID — JAMAICA KINCAID — FSG

SIGRID NUNEZ — SALVATION CITY — FSG

PUB DATE SEPT 2010

Signet Classic — Charles Dickens — A Christmas Carol

Moby-Dick — Herman Melville

HEMINGWAY — IN OUR TIME — HEMINGWAY — SCRIBNER'S

EVEN THE DOGS — JON McGREGOR

THE COMPLETE PROSE OF — WINGS BOOKS

Norbert Lynton — THE STORY OF MODERN ART — Φ

THE OXFORD RUSSIAN-ENGLISH DICTIONARY — OXFORD

THE OXFORD ENGLISH-RUSSIAN DICTIONARY — OXFORD

Children of the Arbat — ANATOLI RYBAKOV — LITTLE, BROWN

STEINBECK — THE GRAPES OF WRATH — VIKING

에드먼드
화이트

_ Edmund White

에드먼드 화이트의
서재

리아 프라이스: 십 대 때 나 혼자가 아니라고 말해주거나 변명거리가 되어 줄만한 것들을 필사적으로 찾았다고 하셨죠. 오히려 당신의 불행한 정체성을 확인시켜줄 책들을 찾아서 읽었다고 하셨어요. 이 시기를 전후로 책은 당신에게 어떤 역할을 했나요?

에드먼드 화이트: 2년제 대학교를 졸업하고 바로 책 읽기를 관뒀습니다. 질리도록 읽었으니까요. 그로부터 2년 쯤 지나서 다시 책을 읽기 시작했습니다. 이번에는 철저하게 즐거움을 얻기 위해서 책을 읽었죠. 그때는 너무 가난했어요. 그래서 종이책밖에 살 수 없었죠. 가끔 도서관에서 하드커버를 빌려서 읽기도 했습니다. 책이 초판인지, 재질이 무엇인지 혹은 모양이 어떤지 전혀 중요하게 생각하지 않았습니다. 그리고 책을 오래 보관하지도 않았습니다. 20대 때 읽었던 책들은 지금 단 한권도 없습니다. 그래도 20대 때 가지고 있었던 책들을 다시 구입할 때가 종종 있습니다. 예를 들어, 카프카(Kafka), 셰익스피어, 베케트(Beckett) 그리고 지드(Gide) 등입니다. 12년 전에 프랑스에서 이곳으로 왔습니다. 프랑스에서는 16년 정도 살았습니다. 그때 여러 사람들을 집에 초대해서 책을 나눠주는 이별 파티를 열었습니다. 이때 대부분의 책을 정리할 수 있었습니다.

책장에 대해서 이야기해보죠. 뭘로 만들어졌나요?

목재입니다. 싸구려 가구점에서 샀을 겁니다.

책을 어떻게 정리하고 있나요? 아니면 어떻게 정리하고자 하시나요?

책이 그리 많지는 않습니다. 그래서 특별한 순서에 따라 책을 정리하고 있지는 않습니다. 한동안 장 주네(Jean Gener)와 마르셀 프루스트(Marcel Proust)를 한 곳에 보관했습니다. 이 두 사람 덕분에 프랑스 문학에 관심을 갖게 되었고 즐겨 읽게 되었습니다. 친구들에게 공짜로 나눠줄 책들은 한 두 섹션에 함께 보관하고 있습니다. 저의 대부분의 책들이 여기에 해당되죠. 커서 책장에 꽂을 수 없는 아트북은 바닥에 쌓아두고 있습니다. 최근에 하우징 워크에 책 수천 권을 기부했습니다. 다시는 읽을 일 없거나 출판사에서 무료로 받았는데 게을러서 버리지도 못하고 가지고 있는 책들이었습니다.

침대 옆에 두는 책은 무엇인가요?

저의 파트너인 마이클은 자기 욕실에 위협을 느낄 정도로 어려운 책 여러 권을 두고 읽습니다. 하지만 저는 책이나 잡지를 돌려가며 읽습니다. 사람들은 자신에게 중요한 책을 침대 옆에 두고 읽기 마련이죠. 하지만 저는 아닙니다.

평론가이자 소설가로서 장르에 따라 책을 읽거나 메모를 하는 방식이 다른가요?

비싼 초판이나 희귀한 삽화가 그려진 책을 제외하고 모든 책에 주석을 달거나 메모를 합니다. 에세이를 쓰기 위해서 책을 많이 읽습니다. 포드 매독스 포드(Ford Madox Ford)나 헨리 제임스 또는 글렌웨이 웨스콧에 대해 에세이를 많이 쓰는데 주로 뉴욕리뷰에 실립니다. 이런 에세이를 쓰기위해서 수십 권의 책을 참조합니다. 그리고 주석이나 메모를 하죠. 프린스턴 도서관에서 빌린 책들이라면 접착식 메모지를 이용합니다. 물론 책에 붙은 메모지를 모두 제거하고 반납합니다. 가끔 중고서점에 가서 예를 들어 헨리 제임스의 편지 모음집을 사죠. 그리고 에세이를 마무리하면 그 책을 바로 처분합니다.

책을 공간만 차지하고 먼지만 뿌옇게 앉는 물건으로 여긴다고 생각할 수 있습니다. 어렸을 때는 커피 얼룩이 묻은 만화책에 둘러싸이는 것을 좋아했습니다. 여기서 한 권 읽고 저기서 한 권을 읽으며 돌아다니는 거죠. 하지만 지금 저는 71살입니다. 지금은 나이가 있으니, 책들이 저의 자손들에게 짐이 될 골칫덩어리로 밖에 생각되

지만 정말 경멸하는 책은 쓰레기통에 버립니다. 이제 카세트테이프나 LP는 없습니다. 하지만 CD 수백 장을 가지고 있습니다. 이것들도 처분하려고요.

책을 친구들에게 빌려주시나요?

친구들이 좋아할 것 같으면 책을 친구들에게 줘버립니다. 끊임없이 새로운 책들이 쏟아집니다. 하지만 읽을 만한 좋은 책은 손에 꼽힐 정도죠. 옥석을 가려내기란 쉽지 않습니다. 여기서 교우관계가 도움이 됩니다. 존경하고 신뢰하는 친구들 말입니다. 이들을 통해 좋은 책을 쉽게 찾을 수 있죠.

지금으로부터 5년, 10년, 20년 뒤에 서재는 어떤 모습일까요? 이것에 대해 생각해보신 적이 있나요? 여전히 종이와 풀로 만든 책들이 남아있을까요? 이런 질문해서 죄송해요. 당신이 이 세상을 떠난 뒤에 서재에 어떤 일이 벌어질 것 같으신가요?

미래 서재의 모습에 대해서 생각해본 적이 있습니다. 여전히 종이책이 빼곡히 꽂혀있고 전 그 책들을 읽고 있을 겁니다(전 지금도 손으로 소설을 씁니다). 제가 죽으면 저의 책들은 제가 입던 옷과 사용하던 가구처럼 여기저기 흩어지겠죠.

에드먼드 화이트가 선정한 10권의 인생 도서

레프 톨스토이, 《안나카레니나(Anna Karenina)》

피넬로프 피츠제럴드, 《푸른 꽃(The Blue Flower)》

안톤 체호프, 《체호프 단편선》

앨런 홀링허스트, 《폴딩 스타(The Folding Star)》

블라디미르 나보코프, 《로리타(Lolita)》

헨리 그린, 《무(Nothing)》

장 주네, 《꽃의 여인(Our Lady of the Flowers)》

마르셀 프루스트, 《잃어버린 시간을 찾아서(Remembrance of Things Past)》

크리스토퍼 아이셔우드, 《싱글맨(A Single Man)》

무라사키 시키부, 《겐지 이야기(The Tale of Genji)》

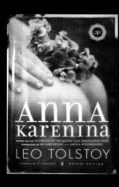

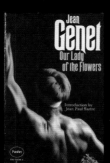

서재를
공개한
작가들

엘리슨 벡델은 만화가이자 작가다. 그녀의 대표작은 1983년부터 2008년까지 연재된 《주목해야 할 레즈들(Dykes to Watch Out For)》다. 2006년 그녀는 《재미난 집(Fun Home: A Family Tragicomic)》을 발표했다. 비평가의 극찬을 받은 이 자서전은 뉴욕타임스 베스트셀러로 선정됐고 타임지(Time)의 올해의 책 10권에 선정되었다. 엘리슨 벡델은 미즈(Ms.), 슬레이트(Slate), 애드버킷(the Advocate) 등 웹사이트와 매거진에 삽화를 싣고 있다.

스티븐 카터는 예일대학교 윌리엄 넬슨 크롬웰 법학과의 교수이고 법과 종교, 전쟁윤리, 계약, 지적재산과 법조인 윤리를 가르친다. 그는 다수의 논픽션을 발표했다. 그리고 최근 첫 번째 소설 《오션파크의 황제(The Emperor of Ocean Park)》을 발표했고 뉴욕타임스 베스트셀러가 됐다.

주노 디아스는 《오스카 와오의 짧고 놀라운 삶(The Brief Wondrous Life of Oscar Wao)》로 2008년 소설부문 퓰리처상을 수상했다. 이 외에 1996년에 발표한 《익사(Drown)》가 있다. 주노 디아스는 어린 시절 도미닉 공화국에서 뉴저지로 이주했고 매사추세츠 공과대학의 작문 교수다.

레베카 골드슈타인의 저서로는 《빛의 특징: 사랑의 소설(Properties of Light: A Novel of Love)》, 《배반(Betrayal)》, 《양자 물리학(Quantum Physics)》, 《미완성: 쿠르트 괴델의 증거와 패러독스(Incompleteness: The Proof and Paradox of Kurt Godel)》 그리고 《신이 존재하는 36가지 이유: 허상(Thirty-Six Arguments for the Existence of God: A Work of Fiction)》이 있다. 1996년 레베카 골드슈타인은 맥아더상을 수상했다.

스티븐 핑커는 하버드대학교 교수로 하버드 심리학과의 존스톤 패밀리 교수다. 그는 뉴욕타임스, 타임지, 그리고 뉴리퍼블릭(New Republic)에 언어와 정치, 의식의 중립적 기반과 인간의 유전 강화 등에 관한 주제로 글을 자주 기고한다. 그의 저서로는 《언어 본능(The Language Instinct)》, 《마음은 어떻게 작동하는가(How the Mind Works)》, 《빈 서판(The Blank Slate)》 그리고 《사고: 인간 본성을 보여주는 창, 언어(The Stuff of Thought: Language as a Window into Human Nature)》 등이 있다.

레브 그로스만은 평론가이자 타임지의 기술 전문 기자다. 저서 《고문서(Codex)》가 전 세계적으로 극찬을 받았고 세 번째 소설 《마법사들(The Magicians)》이 단숨에 뉴욕타임스 베스트셀러에 등극했다.

소피 지이는 프린스턴대학교 영문학과 조교수다. 여기서 그녀는 18세기 시와 소설 그리고 풍자의 역사에 대해 강의한다. 워싱턴포스트와 이코노미스트는 그녀의 첫 번째 소설 《그 계절의 스캔들(The Scandal of the Season)》을 2007년 최고의 책으로 선정했다. 소피 지이는 2010년 프린스턴 대학교 출판사를 통해 《낭비(Making Waste: Leftovers and the Eighteenth-Century Imagination)》를 출간했다.

조나단 레덤은 소설가이자 단편 작가로 롤링스톤, 뉴요커, 하퍼스 등 다양한 출판사에 글을 기고하고 있다. 거의 1999년 작품 《머더리스 브루클린(Motherless Brooklyn)》은 소설부문에서 미국도서비평가상을 수상했고 2003년 《고독의 요새(The Fortress of Solitude)》는 뉴욕타임스 베스트셀러가 됐다. 2005년 조나단 레덤은 맥아더상을 수상했다.

클레어 메수드는 툴레인대학교의 전속 작가다. 그녀의 첫 번째 소설 《세상이 흔들림 없을 때(When the World Was Steady)》와 중편소설 모음집 《사냥꾼들(The Hunters)》는 팬포크너상 최종 후보에 올랐다. 그녀의 최신작 《황제의 아이들(The Emperor's Children)》은 뉴욕타임스 북리뷰의 2006년 최고의 책 10편으로 선정됐다.

제임스 우드는 문학 평론가이자 소설가다. 그는 현재 하버드대 문학비평 교수이고 뉴요커 평론가로 활동하고 있다. 제임스 우드는 3권의 평론서와 자서적격 소설 《신에게 대항하는 책(The Book Against God)》(2003)을 발표했다.

리아 프라이스는 하버드대 영문학 교수다. 그녀의 저서로는 2000년에 발표한 《문집(The Anthology)》, 《소설의 부상(The Rise of Novel)》 그리고 2012년에 발표한 《빅토리아 시대의 영국 소설을 읽는 법(How to Do Things with Books in Victorian Britain)》이 있다.

필립 풀먼의 저서는 거의 20여 권에 이른다. 가장 유명한 저서는 3부작 소설 《황금 나침반(His Dark Materials)》이다. 《황금 나침반 2: 호박색 망원경(The Amber Spyglass)》은 영국 최고 권위의 문학상인 휘트브래드상을 수상한 최초의 아동 소설이다. 그의 다른 책들은 카네기상과 가디언 칠드런즈 북 어워드 등 많은 상을 수상했다.

게리 슈테인가르트는 3권의 소설을 써낸 작가이고 뉴요커, 슬레이트와 뉴욕타임스에 글을 기고하는 기고가다. 그의 첫 번째 소설 《사교계에 데뷔하는 러시아 여자들의 안내서(The Russian Debutante's Handbook)》는 데뷔 소설 부문에서 스티븐크레인상, 북-오브-더-먼스 클럽 퍼스트 픽션 어워드, 그리고 소설 부문에서 전대 유대인 도서상을 수상했다.

에드먼드 화이트는 소설, 자전적 촌극, 그리고 미국의 동성애자의 정체성과 에이즈의 사회적 영향을 주제로 사회 비평을 쓴다. 미국 문학예술아카데미와 미국 예술과학아카데미의 회원인 에드먼드 화이트는 프랑스 작가 장 주네(Jean Genet)에 관한 전기로 1994년 미국도서비평가상을 수상했다.

위대한 작가들이 책을 읽고 관리하는 법
베스트셀러 작가들의 서재를 공개합니다

초판 발행	2020년 2월 25일
발행처	유엑스리뷰
발행인	현명기
지은이	리아 프라이스
옮긴이	장진영
주소	부산시 해운대구 센텀동로 25, 104동 804호
팩스	070.8224.4322
이메일	uxreviewkorea@gmail.com
ISBN	979-11-88314-35-5

UNPACKING MY LIBRARY Vol 2: WRITERS AND THEIR BOOKS